新 潮 文 庫

心に太陽を持て

山本有三編著

新 潮 社 版

2737

目次

心に太陽を持て

心に太陽を持て

心に太陽を持て。
あらしが　ふこうと、
ふぶきが　こようと、
天には黒くも、
地には争いが絶えなかろうと、
いつも、心に太陽を持て。

くちびるに歌を持て、
軽く、ほがらかに。
自分のつとめ、
自分のくらしに、
よしや苦労が絶えなかろうと、
いつも、くちびるに歌を持て。

苦しんでいる人、
なやんでいる人には、
こう、はげましてやろう。
「勇気を失うな。
くちびるに歌を持て。
心に太陽を持て。」

――フライシュレンによる――

こころ に太陽ーを持て ー
くちび るにうたを持て ー
くるしんでいるひと
なやん でいるひとには こうはげ ましてやろう
ー 勇ー気をー うしなうな ー くちび るに
うたを持て ー こころ に太陽ーを持て ー

心に太陽を持て

歌詞　青少年文化の会
作曲　團　伊玖磨

くちびるに歌を持て

イギリスは、海流の関係で、たいへん霧《きり》の多い国です。一九二〇年十月の、ある夜のことです。その晩は、月がないばかりか、イギリス名物の霧が、海上に厚くたちこめていました。

この国の北部、スコットランドの西がわに、コーンウォール・ポイントというところがあります。そこの沖《おき》あいを、ローワン号という、小さな汽船が走っていました。霧が深いので、ローワン号は徐行《じょこう》しながら、注意ぶかく進んでいたのですが、運わるく、大きな定期船と衝突《しょうとつ》してしまいました。向こうの船も、むろん徐行していたのですけれども、いくら徐行していたといっても、ぶっつかり合っては、ローワン号のような小さな船は、ひとたまりもありません。あっというまに沈没《ちんぼつ》してしまいました。

船長をはじめ、船員は、必死になって乗客の救助につとめました。あい手の汽船も、すぐにありったけのボートをおろして、海上にただよっている人々をさがしました。

けれども、夜のことではあり、しかも、霧が深いのですから、救助はなかなか困難でした。それでも、大きな波のうねりのあいだを縫《ぬ》って、ボートは八方に走りまわりました。そして、水につかっている人たちを、大いそぎで救いあげました。

とりあえず、救いあげた人々を数えてみると、七十九人ありました。しかし、これではたりません。ローワン号に乗っていた人は、総計、百四人あったのです。まだ船客が十四人と、乗組員十一人の行くえがわかりません。

その行くえ不明の人のなかに、アイリッシュ・ナショナル保険会社の監査役《かんさやく》マッケンナもはいっていました。

マッケンナは、ただひとり、暗い波のあい

だに浮《う》かんでいました。しかし、腕《うで》も足も次第《しだい》につかれて、もう長くは泳いでいられないような気がしてきました。

あれから、もうどのくらいたっているだろう。

それは遠い昔のことのようにも思えますし、つい、さっきのことのようにも思えます。何しろ、あまりにも急なできごとであったし、あまりにもはげしい衝動を受けたので、時間の観念など、すっかり、どこかへ飛んで行ってしまいました。

時間などはどうでもいい。そんなことよりも、問題は救助船だ。

「いったい、ボートは何をしているんだ。」

ボートさえ来てくれたら！　それがただ一つのたのみでした。それなのに、ボートはどこをうろついているのか、一隻《せき》も近づいてきませんでした。

自分は、もう見すてられてしまったのだろうか。

波がドブーンとかれのからだをゆさぶっていきました。

かれは、言いようのない、暗い気もちにおそわれました。うらみ、悲しみ、いきどおり、後悔《こうかい》、それらのものがいっしょくたになって、背ぼねの中を通りぬけました。

ああ、自分は、このまま海のもくずになってしまうのか。

死にたくない、助かりたいという感情が、一本、一本の神経のなかに、きびしく働いているのに、からだ全体としては、だんだんに力がぬけていって、ともすると、かれは夢の国にでも誘《さそ》いこまれそうな気もちになります。

と、目の前に、かわいい子どもたちの顔が浮かんできました。子どもたちは目をぱちくりさせています。その顔の上に、しとやかな妻の顔が、二重うつしになって、すうっと重なってきます。妻も微笑《びしょう》をたたえています。

家族のものは、なんにも知らないんだ。難船したことも。今、わたしがおぼれかかっていることも。

家族のことを思うと、それからまた、会社のことを考えると、かれはこのまま死にきれません。なんとしてでも生きなければならないと、強く思い返しました。

「おうい。助けてくれえ。」

かれは大きな声を張りあげて、なんども救いを求めました。

しかし、なんの答えもありませんでした。

大きな波が、かれの頭の上で、ザブーンとくだけました。かれはいやというほど、しお水を飲まされました。

自分はいつのまにか、潮におし流されて、難破した場所から遠ざかってしまったのであろうか。それで、ひとりぼっちになってしまったのかもしれない。

目を見はって、付近の様子を見ようとしても、綿のように厚い霧がどっしりとたちこめているので、一メートルさきさえ見えませんでした。

つい、さっきまで、助けを求めて、わめきさけんでいた声が、海面にみなぎっていたのに、それも、もう聞こえなくなりました。すべてのものが、ことごとく波にのまれてしまったように、あたりは、しいんとして、まるで墓場のようでした。

秋とはいっても、夜のことであり、水の中にひたっているのですから、からだが冷えてたまりません。このままでいたら、こごえ死んでしまうのではないかと、マッケンナは思いました。しかし、なんとしても死にたくありません。かれは手や足を水の中で絶えず動かしながら、一心に神に祈《いの》りをささげていました。

すると、墓地のような、その気味のわるい静けさのなかから、突然《とつぜん》、きれいな歌が流れてきました。

マッケンナは、「おや?」と思いました。いま時分、こんな所に、美しい歌がひびいてくるはずがないからです。しかし、そんなはずがない、と否定しても、聞こえてくるものは、歌にちがいありません。しかも、それは女の声で、調子もみだれていなければ、ふるえてもおりません。大ぜいのお客さんを前にして、客間で歌っている歌のように、したしみのある、ほがらかな歌でした。

マッケンナは、自分の耳を疑いました。けれど、それは決して夢のなかの歌ではありません。たしかに、波の上を伝わってくる歌ごえです。霧の中をとおしてひびいてくる人間の肉声です。

かれはしばらく、しんみりした気もちになって、聞きほれていました。今まで、かれはどれだけ歌を聞いたかしれません。しかし、この時ぐらい、しみじみと歌のありがたみを味わったことはありません。これこそ、いのちの歌だ。天使の歌う天の歌だと思いました。

この歌を聞いているうちに、気もちがすうっとさわやかになって、自分が水びたしになっていることも忘れてしまったほど、はればれとしてきました。教会の賛美歌だって、とてもこんなにけだかくはありません。大声楽家の独唱だって、とてもこんなに美しくはありません。寒さも、つかれも、どこかへふっ飛んでしまって、かれはまったく生き返ったような気分になりました。

歌っているのは、どういう人かわかりませんけれども、おそらくは、自分と同じように船から投げ出された人にちがいありません。たいていの人は、船が衝突したようなときには、あわてふためいて、けがをしたり、いのちをおとしたりすることが多いものですが、あの歌を歌っている人は、なんという落ちついた、また、なんというほがらかな人でしょう。自分など、泳いでいるだけが精いっぱいなのに、こんな暗い夜に、こんな海の中で、よく、あんな美しい声が出せるものだ、と思いました。

つかれてはいましたが、歌で元気づけられたので、マッケンナは急に抜《ぬ》き手を切って泳ぎだしました。あの美しい歌のところまで、とにかく行ってみたいと思ったからです。

霧のために、姿はまったく見えませんけれども、歌の流れてくるぐあいで、方向だけはわかります。彼は、声をたよりに、そのほうへ泳いで行きました。手あしが思うようにきかないので、スピードは出ませんが、それでも一生けんめいに泳ぎました。近づいて見ると、たぶん、船が沈没したときに流れ出たものでしょう、一本の大きな材木に、なんにんかの婦人がつかまって、からだをささえていました。歌を歌っているのは、そのうちのひとりで、まだ若いお嬢《じょう》さんでした。

マッケンナは、水の中ではありますが、イギリスの紳士《しんし》らしく、礼儀《れいぎ》を失わない態度で、婦人にことばをかけました。

「みなさん、わたしも、おなかまにいれていただけないでしょうか。」

婦人たちは快くゆるしてくれました。そこで、マッケンナもその大きな材木につかまりました。おかげで、からだがずっとらくになりましたが、かれは息をつくひまもなく、歌を歌っていたお嬢さんにお礼を言いました。

「お嬢さん、わたしはあなたの歌で元気をとりもどしたんです。あなたの歌が聞こえなかったら、こごえ死んでいたかもしれません。」

「まあ、そんなにおっしゃられると、こまりますわ。わたしもこごえないようにと思って、ただ元気をつけていただけなんですもの。」

「ですけれど、こんな危急の場あいに、よく歌がくちびるにのぼってくるものですね。わたしなど、ただガタガタふるえているだけなんですのに。」

「そうなんですよ、まったく。」

と、材木の向こうがわにつかまっている中年の婦人が、ことばをはさみました。

「まだお若いのに、この方は、それはそれはしっかりしていらっしゃいますのよ。まだお若いから快活なのでしょうが、いくら快活なお方だって、こういう時には、ねえ、あなた。——それはそうと、ボートはどうしたんでしょうね。」

「いや、わたしも、それを心配しているんです。」

マッケンナは、中年の婦人にすぐあいづちをうちました。

ところが、お嬢さんは、その会話には耳もかさないで、また、高い声で歌を歌いはじめました。

マッケンナは話をやめて、ふたたび歌に聞きいりました。離《はな》れて聞いていたときよりも、歌はひときわ身にしみて感じられました。もちろん、その歌の美しさにも打たれましたが、それにも増して感じたことは、こういう場あい、これ以上の応急策はないということでした。

水の中で、霧の中で、いくらボートがこないと言って、ぐちをこぼしたところで、なんになろう。ぐちではボートは呼びよせられない。ボートを呼びよせるためには、何よりも合い図をすることである。やみの中でも、霧の中でも、先方に通ずる合い図をすることである。げんに、自分も、お嬢さんの歌を聞いて、ここに泳ぎついたのではないか。濃霧《のうむ》の中で、遭難者《そうなんしゃ》をさがしあぐんでいるボートも、このお嬢さんの歌を聞きつけたら、きっと助けにきてくれる。――マッケンナは、そう思いました。

むろん、危急の場あいに、「助けてくれえ。」とさけぶのは、人情です。けれども、「助けてくれえ。」なんて、なさけない声をはりあげるよりも、ほがらかな歌を歌ったほうが、どんなに楽しいかわかりません。これも救助を求める、一つの新しい手段です。

かれは、お嬢さんの歌がひとくぎりついたところで、婦人たちに、こう言いました。

「お嬢さんの歌をうかがっていると、わたしたちは元気づけられますけれど、しかし、お嬢さんにばかり歌っていただくのは、どうかと思います。私にはむずかしい歌は歌えませんが、童謡《どうよう》か、民謡ぐらいなら、歌えないこともありません。どうでしょうか、みなさん。ごいっしょに、やさしい歌を合唱してみては。そうすれば、からだも暖まるし、声も遠くまで聞こえると思うのですが。」

「それはいいお考えですわ。みなさん、そうしようじゃございませんか。」

お嬢さんがそう言ったので、みんなで合唱することになりました。最初にとりあげられたのは童謡です。

みんな、子どもに返ったような気もちで、楽しく歌いました。しかし、調子がよく合わなかったので、歌い終わったときには、どっと笑いました。

それから民謡が合唱されました。いくつかの民謡がくり返し、くり返し、歌われました。歌っている人たちにとっては、それは、かなり長い時間のように思われました。けれども、ボートはやっぱりきません。なかには、もう歌うのをやめてしまった人さえありました。しかし、お嬢さんは合唱の中心になって、美しい声をふるわせていました。

「おや、なんだか、音がするようだわ。」

突然、ひとりの婦人がさけびました。

「そう。そう言えば、聞こえるようね。」

また、だれかが、そう言いました。

マッケンナも歌うのをやめて、耳をすましました。遠くのほうだけれども、霧《きり》の中で、ボコン、ボコンというような水の音が、かすかに聞こえます。

「あっ、ボートだ。ボートだ。——ここだ。ここにいるぞお！」

マッケンナは、思わず、大きな声をたてました。

まもなく、霧をかきわけて、黒い波の上を一隻のボートが進んできました。

それを見たら、さっきの中年の婦人は、声をたてて、泣きだしました。

やがて、そこにいたものは、全部、ボートにひきあげられました。

みんな、死人のようにくたくたになっていましたけれども、マッケンナはお嬢さんの前に行って、丁寧《ていねい》にあいさつしました。

「お嬢さん、あなたの歌が、わたしたちを救ってくだすったのです。ありがとうございます。ありがとうございます。」

パナマ運河物語

一、はしがき

（この文章は昭和十年ころ書かれ、昭和三十年ころ書きなおされました。）

コロンブスによって、アメリカ大陸が発見され、マゼランの一行によって、世界一周がおこなわれて以来、海上の交通は、いちじるしく発達しました。そして、十九世紀の後半には、紅海と地中海とをつなぐスエズ運河が開かれたので、ヨーロッパと東洋との航海が、たいへんらくになりました。こうなると、次は、大西洋と太平洋とを直通させたいという計画の起こることは、自然な勢いです。これができると、世界の交通は便利となり、東西の交流は目ざましいほど発展します。

地図を開けば、すぐわかるように、大西洋と太平洋とは、南北両アメリカ大陸によって、へだてられています。南アメリカも、北アメリカも、どちらも広大な土地ですが、しかし、この二つの大陸を結ぶ中間の地帯は、帯のように狭《せま》くて、ほそ長くのびています。そのほそ長い地峡《ちきょう》のうちで、最も狭い所は、パナマ地方です。従って、運河を切り開くとすれば、ここが一番適当な場所です。

たしかに、地図の上から見れば、その通りです。けれども、大きな汽船が自由に通れる運河を作るとなると、この狭いパナマでも、長さ八十キロメートルもあるほり割りを、掘《ほ》らなければなりません。これだけの仕事をやりあげるためには、人力の点からも、費用の点からも、容易なことではありません。ことに、この工事をやる上では、地質、水はけ、土地の風土気候などが、大きな問題になってきます。ですから、この地方に、運河を作ったらいいという考えは、すでに十六世紀のころからありましたけれども、

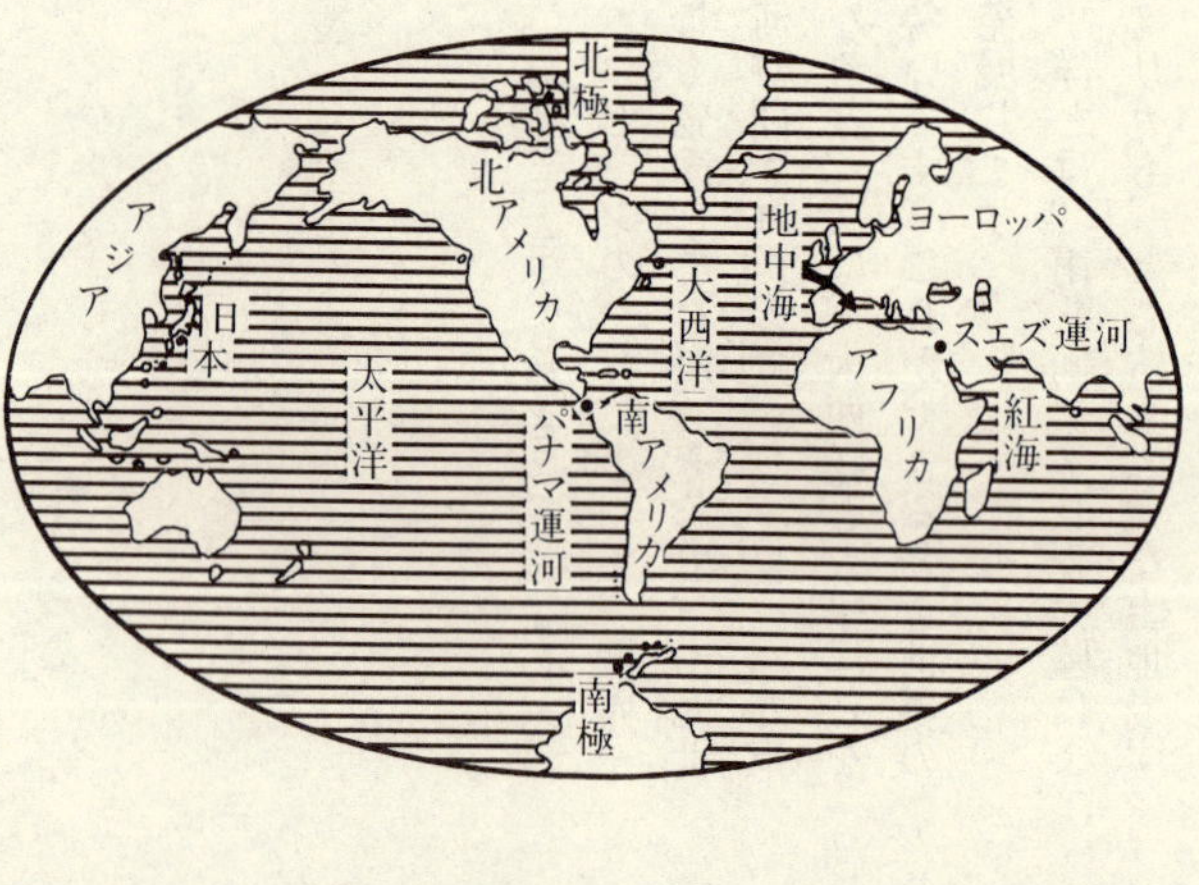

なかなか実現しなかったわけです。それはスペイン人も手をつけ、イギリス人やオランダ人なども計画しましたが、みな、そのままになってしまいました。

しかし、スエズ運河が開通すると、パナマ運河を開こうとする声が、フランスに高まりました。なぜフランスに高まったかというと、フランスは、スエズ運河の建設に成功していたからです。そこで、いよいよフランス人がパナマに乗りこんでくるわけですが、その前に、まず、パナマの風土気候について、お話ししておく必要があります。

二、パナマの風土と、フランス人の失敗

パナマは熱帯地方にあるので、たいへん暑い国です。一年の平均温度は、二十七度。最も暑い時には三十八度、低い時でも十五・五度というのですから、冬にあたる期間はないわけです。最も暑いのは、一月から四月までで、日本とは、全く逆になっています。この期間は、天気が続きますが、あとは、大部分、雨です。ことに八月から十一月は、最も雨の多い時期です。

ここは雨量の多いところですから、草木が、こわいように繁茂《はんも》しています。日の目

も通さないくらい、こんもりとした原始林、人間ほどもある大きな草の葉が、雨の中に、じいっと、だまりこんでいる姿は、無気味ともなんとも言いようがありません。どこへ行っても、ずぶり、ずぶりと、足のもぐりこむ沼《ぬま》、流れることをわすれてしまったような小川、そこにたまっている水は、どんよりとよどんだまま、白い雨をはねかえしています。そうかと思うと、晴れた日には、燃える太陽の光が、草も、木も、人も、焼きつくすように照りつけます。暑くて、雨の多い国、これがパナマです。草木がのび、害虫がはびこるには、この上もないよい所ですが、人間が住むには、最も悪い所です。

ここにいると、何もしないでいても、ひたいには、ひとりでに汗《あせ》がにじんできます。そ

して、それが、気もちの悪いしずくとなり、ぽたり、ぽたりと顔に伝わってきます。沼からは絶えず悪いガスが、あわとなって、わきあがってきます。そればかりではありません。ここはおれたちの国だと言わんばかりに、無数の蚊《か》がむらがっています。ですから、ヨーロッパからここに渡《わた》ってきた人は、たいてい黄熱病（おうねつびょう）か、マラリア熱のためにたおれてしまいます。

一八七九年――といえば、今から八十年ばかり前のことですが、フランス人の一隊が大ぜいの土人をつれて、ここにやってきました。それをきっかけにして、やがて、なん千というフランス人が渡ってきました。一八八一年、レセップスというフランス人が、パナマ運河の仕事をやりはじめたのです。レセップスは、これより十年前、首尾《しゅび》よくスエズ運河を掘ることに成功し、地中海と紅海とをつないで、世界をおどろかせた人です。彼《かれ》はスエズ運河を作った経験を土台にして、今度は、パナマに運河を開き、この大工事によって、ふたたび世界を「あっ」と言わせたいと、意気ごんでいました。

しかし、パナマは、スエズのようにおとなしく、彼の言うことを聞きませんでした。スエズとちがって、パナマは、がんこに彼の計画に抵抗《ていこう》しました。スエズは、だいたい、すな地が続いているので、心配はむしろ、すな地の岸がくずれて、運河を浅くすることにあったのです。ところが、パナマは、まるでちがっています。ここは沼のような湿地《しっち》か、さもなければ、堅《かた》い岩やまです。おまけに、背ぼねのように、山脈がこの土地の中央を走っているので、スエズのような平地ではありません。彼のスエズの経験は、ここでは、ほとんど役に立ちませんでした。

そのうえに、気温は高く、雨が多いので、申し分のない不健康な土地です。フランス人は、岩やまのために仕事をさまたげられたばかりでなく、この土地の風土病になやまされました。しばらくすると、彼らはばたり、ばたりと、死んで行きました。くる日も、くる日も、黄熱病かマラリア熱にかかって、たおれるものの出ない日はありません。これでは、運河を掘りにきたのか、墓を掘りにきたのか、わからないようなありさまです。こういうなかにあって、一方では、監督《かんとく》の目を盗《ぬす》んで、悪事を働くものが出てきたり、なかま同士のけんかが起こったり、仕事を利用して、商人から不正の金を取るものがあらわれたりしてきました。これでは、仕事が行きづまるばかりです。

それでも、仕事は、だらだらと、なお、七、八年間つづきました。けれども、運河は予定の四分の一しかできあがらず、しかも、二億六千万ドルという大金が、そのために消えてしまいました。それは最初、全体の費用として見つもったものの、倍以上の金額でした。そればかりではありません。この仕事には、いつも一万人の人が働いていたのですが、もう二万二千人が死んでいました。レセップスは、とうとう仕事が続けられなくなりました。悪魔《あくま》のような不健康地が勝ったのです。かつて、スエズ運河の開通によって、世界中から賞賛されたレセップスも、このパナマの工事では、すっかり失敗してしまいました。

三、鉄人ゴーサルズの登場

こうして、フランス人は、二万二千の人命と二億六千万ドルの犠牲《ぎせい》をはらったまま、むなしく退くよりほかはありませんでした。しかし、この多額の金額を、むざむざ捨ててしまうわけにもいかないので、その権利をアメリカに売りこもうとしました。もちろん、アメリカでも、運河の必要をみとめていました。ですから、すでに他地点で工事にかかっていたくらいですが、これも、順調に、はこんでいなかったおりだったので、一九〇三年、アメリカ合衆国の政府は、このフランス人の権利を買い取ることとなりました。

これとほとんど同時に、パナマは独立国となりました。それまではコロンビア国の一州に過ぎなかったのですが、パナマ人のあいだに反乱を起こしたものがあり、アメリカはそれを援助《えんじょ》したので、ついに独立することになったのです。その結果、アメリカは、その新しい独立国からパナマ運河地帯の独占《どくせん》使用権を永久に獲得《かくとく》して、運河の建設に思う存分、腕《うで》をふるうことができるようになりました。

買いとってから三年たちました。その時、アメリカの大統領はルーズベルトでした。(この人は、第二十六代の大統領で、第二次大戦中の大統領ルーズベルトの親類にあたる人です。)パナマ運河の工事は、地峡運河委員会が設けられて、すでに開始されていましたが、大統領はその委員の顔ぶれに不満を持っていました。彼は、なんとかして、この事業を任せるにたる委員長をほしいと思いました。工事がむつかしいのですから、その人は、第一に、土木の技術にすぐれた腕をもった人でなければなりません。しかし、それだけでは不十分です。この仕事に従事する、いく万という人々を、大きな機械のように、整然と働かせる組織の力をもった人でなければなりません。そのうえに、それだけの人々を信服させる大きな人格と、困難にあってもたゆまない、鉄のような意志を備えた人物でなければなりません。だれかいないだろうか、ルーズベルトがしきりにさがしていた時に、陸軍長官タフトが、ひとりの男を推選しました。大統領はその名を聞いた時、大きくうなずきました。「なるほど、あの男ならやれる。

きっとやれる。」

アメリカ合衆国がスペインと戦争した時のことでした。アメリカ軍は、ポルト・リコの近くの海岸に、上陸所を急いで作らなければならなかったことがあります。命令を受けたのは、ひとりの工兵中尉《ちゅうい》でした。そこは、荒《あ》れくるう波が岸をかみ、何ひとつ、風や波を防ぐものもない所でした。それのみならず、このとき、隊には、わずかな工事材料しかありませんでした。どうしてここに上陸所を築くことができよう。若い中尉は海岸につっ立って、しばらく考えていました。しお風が彼のほおをかすめました。沖《おき》のほうから大きな波が白い頭をふり立てながら、おし寄せてきて、やがて、緑のガケのようにそそり立つと、たちまち、なだれを打って、岸にくずれかかります。あとから、あとから、おし寄せてくる波は、緑いろの腹を見せていきり立つごとに、「やれるものならやってみろ。」と、中尉をからかっているように思われました。彼はくちびるをかんで、波をにらんでいました。海岸から少しはなれたところには、アメリカの軍艦《ぐんかん》が停泊《ていはく》していました。海岸にはスペインからぶん取った船が、二、三そう、浮《う》いています。みな、波にゆられて、帆《ほ》ばしらが絶えず左右に動いています。いったい、こんなところに上陸所が作れるだろうか。

しかし、彼の受け取った命令は、できるだけ短い時間に、ここに上陸所を作れということでした。アメリカ軍隊は、急いでここに上陸しなければならないのです。彼は、あざけるように打ち寄せる波を見て、負けるものかと思いました。彼の目は、せわしく海岸を伝わって動きました。何か一つ、材料がほしい。何かないか。彼の目は、海岸にゆれている、スペインから取った、小さな船にもどってくると、ぴたりととまりました。

「よし、あれだ。あれを使ってやれ。」

そう決心した彼は、ふり向いて部下のほうに向かうと、つかつかと近よりました。

「あの小さな船に、みんな砂をつめろ。そして、あの地点に沈《しず》めるんだ。」

すぐに命令が伝えられ、工兵たちはシャベルをふるって、作業にとりかかりました。

作業が始まるか始まらないうちに、ひとりの水兵が伝令となって、中尉のところに駈(か)けてきました。海軍の将校からの命令です。「即刻《そっこく》作業を中止せよ。その船は、海軍がスペインから取った戦利品である。」中尉はそれに目を通すと、すぐさま伝令に向かって言いました。

「自分の受け取った命令は、ここに速(すみや)かにハトバを作るということだ。そのほかにはなんにもない。どんなことがあろうと、また、どんな方法を取ってでも、自分はこれをやり通す。そう、帰って上官に復命しろ。」

彼は筋のちがう海軍将校のことばなどには、耳も貸しませんでした。しばらくすると、また、その伝令がやってきました。「即刻、作業を中止せよ。さもなくば、射撃《しゃげき》するぞ。」命令書には、そう書いてありました。

「よし、撃《う》つなら撃て。おれのほうは断じてやめない。」

伝令はすごすごと帰って行きました。海軍の将校は腹をたてましたが、まさか、みかたを砲撃《ほうげき》することはできません。作業はどしどし続けられ、不可能と思われた上陸所は、ついに、できあがりました。

タフトがルーズベルトに推選したのは、この若い中尉のことでした。もうこの時には、その中尉も工兵大佐になっていました。名は、アメリカ人にとってわすれられぬ初代大統領にゆかりのある、ジョージ・ワシントン・ゴーサルズ、年は、ちょうど五十歳《さい》でした。

二十三歳でアメリカ合衆国の士官学校ウェスト・ポイントを二番で卒業し、ひき続き三十歳まで民間の工科大学、陸軍大学、海軍大学にあって、土木や数学や築城術などを研究し、母校のウェスト・ポイントで教師をしたこともあり、コロンビア州やテネシーで、政府の土木事業を指揮したこともあります。オハイオ川の出水を防ぐ大きなセキの建造にも従事しています。学識から言っても、経験から言っても、まず、申しぶんがありません。「それに――」とルーズベルトは、かつて自分も出征《しゅつせい》したスペイン戦争で、ゴーサルズと会った時のことを思いだしました。「あのつら魂《だましい》はどうだ。自分とまともに向かい会って話した時の、あの、しっかりした態度はどうだ。自分の正しいと信ずることを語りだす時の、あのたくましさはどうだ。聞けば、少年のころには、ニューヨークの町で使い走りをしていた小僧《こぞう》だったそうだが……。」

たしかにゴーサルズには、不屈《ふくつ》の意志がみなぎっていました。辛抱づよくて、きもが太くて、しかも、いったん決心した以上は、断じてひるがえさないので有名でした。それだからこそ、使い走りの小僧からぬけ出て、士官学校にもはいり、士官学校も立派な成績で卒業し、工兵将校として土木の研究を続け、数々の難工事をもやり通したのでした。

「よし、あの男にやらせよう。」

ルーズベルトは決心しました。そして、ゴーサルズを大統領の官邸《かんてい》、ホワイト・ハウスに招きました。

ゴーサルズがルーズベルトのところによばれて、受け取った命令は簡単でした。パナマ運河建設のため、彼を地峡《ちきょう》運河委員会の委員長、ならびに技師長に任命する、いかなる困難をもおしきって、目的を達成するようにと、ただそれだけでした。しかし、これは、実際には、次のような命令と同じことなのです。

「人間が一度になん千と死んで行く世界第一の不健康な土地に行け。そして、アメリカ大陸の背ぼねをなす山脈をよこ切って、長さ八十キロの運河を切り開け。おまえの行く手には十五キロも続く岩やまがある。そのどてっ腹をえぐりぬくのだ。川は年中、所きらわずあふれだすぞ。太平洋と大西洋とは、その海面が同じ高さではないぞ。それをあやつるために、運河には大きな水門をいくつも作るのだ。その一つ一つは、どれも六階だてのビルディングの重さだ。そのトビラは最大の軍艦を浮かべるだけの水をささえなければならぬ。数千の労働者にはニグロもいれば、メキシコ人もいる。東洋人もいれば、アメリカ・インディアンもいる。イタリアやギリシアの男もいよう。それをしっかりとにぎって一致《ち》させ、ひとりの人間のように働かせるのだ。専門の技術者、数百人も、立派に指揮して行け。みんなの家族まで入れて数万の人間を、だれも彼も、幸福にしてやれ。ひとりの人にでも、正しい不平を言わせるな。

さあ行け。行って仕事にとりかかれ。」

軍人であるゴーサルズは、命令を受けた以上は、たとえ、いのちを捨てても、それを実行するように青年のころから教育されてはいました。危険をおそれてはならないことも、よく知っていました。しかし、今、彼が命ぜられた仕事は、彼さえ生命をおしまなければ、できるという仕事ではありません。この仕事といっしょに彼に預けられるのは、数万の人間の生命でした。彼ひとりが病魔のはびこる国に、はいって行けばいいのではありません。子どもや婦人までも入れて数万の人が、黄熱病やマラリア熱がはびこっている土地に住み、長い期間、この仕事に従事するのです。この人たちの安全と幸福とは、どこまでも守らなければなりません。しかも、行く手に立ちふさがる八十キロの大地に、世界最大の汽船が運行できるような大河を、掘《ほ》りおこさなければならないのです。いや、この人らの安全と幸福とを守らなければ、この仕事も失敗に終わるほかはありません。それは、フランス人の失敗を見てもあきらかなことです。彼に立ち向かっているあい手は、人間の力をあざ笑うように、どっかとかまえている岩やまばかりではなく、熱帯の暑気と、手のつけようもない湿地と、そのほかに、もう一つ、目に見えないおそろしい流行病があるのです。いや、考えてみれば、人間がとかくおちいりやすい弱さや、まちがった考えとも、戦って行かなければなりません。自分たちとちがった人種に対する、いわれのない反感や、自分だけらくをして、苦しいことは他人におしつけようとする性質にも、うち勝って行かねばなりません。それは、数万の敵軍をあい手にして戦場で戦うよりも、はるかに困難なことに思われました。

「自分にこれだけの仕事をやりおおせる力があるだろうか。」

ルーズベルト大統領の命令を受けた時、さすがのゴーサルズも、すぐには返事ができませんでした。

「困難は承知している。」大統領は口を切りました。「だが、この仕事は、ぜひとも、やりとげなければならない仕事なのだ。アメリカ人のためにも、いや、人類の将来のためにも、そして、その困難にあたるべき人物は、君のほかには絶対にないのだ。わたしは、――いや、アメリカ人全体は、君の成功を期待している。」

ゴーサルズは考えました。

そうだ、なん万年、なん十万年という昔から、人間は自然と対立している。しかし対立しているとはいうものの、よく考えてみれば、人間も自然の一部なのだ。対立していると考えるから、自然は手におえない敵のように思えるけれども、じつは、同じふところから出たものなのだ。だから、敵対するのでなく、自然を知り、自然にしたしむのが一番だ。そうすれば、自然もきっとほほえんでくれるにちがいない。自然と取っくんでうまくいかないのは、自然を知らないからだ。自然をけいべつするからだ。自然の真実をさぐり、自然を活用すれば、自然も必ず人間と調和してくれる。人間が社会を築きあげたのも、自然を活用したからではないか。火を用いるようになったのも、道具を作りだしたのも、家や着ものをこしらえたのも、そして、村や町を作ったのも、みんな、自然を活用したからだ。これが人間の努力というものだ。たとえ、あい手はどっかとかまえていようとも、この精神で進んだら、きっとできないことはない。よし、やって見せるぞ。――ゴーサルズの胸のなかには、中尉のころ、ポルト・リコ付近の海岸で、あら波に立ち向かった、あの勇気が、もう一度、もくもくと燃えあがってきました。

「承知しました。必ず、やりとげてお目にかけます。」

顔をあげてそう言ったゴーサルズの目は、人間が大きな決意をした時にだけ見られる、すばらしい、かがやきに満ちていました。ルーズベルトは太い腕をさし出して、ゴーサルズのがっしりした大きな手を、ぐっとつかみました。

「うむ、やってくれ。君ならば、――君ならば必ず成功する。」

ふたりは、男らしい顔にほほえみを浮かべながら、目を見あわせました。

四、最初の約束

いく日かののち、ゴーサルズは、カリブ海の波をけって、南西へ、南西へと走る、一隻《せき》の汽船のカンパンに立っていました。

船の右から前方にかけて、水平線の向こうに影《かげ》のような山の姿が見えています。それは北アメリカ大陸を北から南へつらぬいて数千キロも続く大山脈のすそに当たるところでした。ゆるやかに起伏《きふく》しながら、その左のはしは海のなかに消えていました。やがて、船の左から前方にかけても、青くかすんだ山の姿が、水の上にあらわれてきました。近づくに従って、大きくなるその山々は、南アメリカのコロンビアから続く山脈でした。両方の山脈のあいだには、海と空とがふれ合って、そのままどこまでも、海が続いているかのように見えました。海峡とも思われる両山脈のあいだの低い所こそ、ゴーサルズが目ざしているパナマ地帯でした。

やがて、船の行く手にあたって、低い雲のようなネズミ色の線が、水平線の上に浮いてきました。ゴーサルズはひとみをこらしました。パナマがその姿をあらわし始めたのです。彼《かれ》のほおには、微笑《びしょう》が浮かびました。

「今度くる長官は軍人だそうだね。」

「そうだ、工兵大佐だ。ぼくたちも、これから軍隊式にぴしぴしやられるのだろう。」

「弱ったね。軍隊式は、軍隊じゃいいかもしれないが、われわれの仕事は、あたまの仕事だからね。」

パナマでは、若い技師たちがこんな話をしていました。工事が陸軍の監督《かんとく》に移るのではないか、といううわさが飛んだために、ここに働いている技師たちには、おもしろくなかったのです。

木の下で弁当を食べている労働者たちも、そのうわさばかりしていました。

「おい、ジョー、その話はほんとうか。」

「ほんとうとも。おれぁ掲示《けいじ》を見てきたんだ。今度の親だまは、ぱりぱりの現役《げんえき》だとよ。おれたちも、これからは兵隊さんだ。ツルハシかついで、右むけえ右っさ。」

「すると、おめえは、くるっと左を向きやがる。」

「てめえじゃあるまいし、右と左をまちがえるかい。――だが、ほんとうのところ、こいつは、おれたちにゃあ、ありがたくねえな。第一よ、おれとおめえが往来で会ったとする、そうすると、こういったぐあいに、おたがいに手をあげて敬礼しなくっちやいけねえんだ。今までのようにズボンに手をつっこんだまんま、よう！ ってわけにゃいかねえんだ。不自由なこったぜ。」

「それよか、おれぁ、あの現場監督のことを考えると、気が気じゃねえよ。ただでせえ、いばりたがっているのに、今度、そんな軍人がこようもんなら、どんなに大きなつらをしやがるか、わかりゃしねえぜ……。」

「ちくしょう、そう思うと、しゃくにさわるなあ。」

ゴーサルズがパナマにつくと、すぐ歓迎会《かんげいかい》が開かれました。名まえは歓迎会でしたが、だれひとり、この新しい委員長を、心から歓迎している者はありませんでした。

ゴーサルズはすぐにその空気を感じましたが、顔いろは変えませんでした。

やがて、主催者《しゅさいしゃ》が立って、歓迎のことばを述べました。今回われわれは新しい委員長をいただくこととなり、そのすぐれた指揮のもとに、あらたに、この難工事に当たることになったのは、まことに喜ばしい次第《しだい》であります。委員長は軍人であられる。軍隊的なきびしい規律によって、この事業が、今後、着々と進行するならば、それはしあわせと申さねばなりません。彼はそう述べてから、なお、ことばをつぎました。

「ところで、われわれとしまして、委員長に一言、おことわりを申しあげておくことがございます。私たちは残念ながら軍隊のことには慣れておりません。慣れてはおりませんが、せいぜい注意いたしまして、軍隊式にやってまいるつもりであります。従って、今後、委員長がおいでになりました時、われわれが仕事をおいて、立ちあがりますようなことがございましても、それは、軍隊式に直立不動の姿勢をとって、敬礼をするためなのでございますから、どうか、おとがめないようにお願いいたします。」

これはあきらかに皮肉です。軍隊式にあくまでもやるというなら、われわれは仕事をサボるぞ、という下ごころを示しているのです。ゴーサルズは立ちあがりました。彼は、自分を迎《むか》えてくれた今夜の会を感謝したあとで、一段と声を高めながら申しました。

「さきほど軍隊ということばが出ましたが、この事業は軍隊が管理するのではありません。私はこの事業にたずさわっている人々を、軍隊化しようとも考えておりません。敬礼も不必要です。軍隊式行動もすべて不必要です。必要なのは、この仕事に従事するひとりびとりが、おのおの、この仕事の重大な意義を知って、力のかぎり働いてくれることです。われわれの仕事は、金もうけではありません。われわれは自然と取っくんで、自然を活用したいのです。その意味では、——いや、ただその意味だけで、私たちは一つの軍隊です。私が指揮するのを、みずから光栄と考えているのは、まさにこういう軍隊です。その軍隊の求める勝利は、流血の勝利ではなく、運河の開通です。そのためにこそ、規律も必要でありましょう。あたえられた命令を、必ず実行することも必要でありましょう。だが、私の希望しますのは、おたがいがこの必要を知って、それに服することです。おたがいに理解し合って、一つになって働くことです。ですから、私はみなさんに、ここでお約束したい。私はみなさんの利益を、自分自身の利益と同じように守るつもりです。そのことについて、何かご意見がありましたら、いつなん時でも、私に申し出ていただきたい。私は必ずお目にかかりましょう。そして、私の考えもあけすけに申しあげましょう。大切なのはおたがいの理解です。私たちは人間同士のほんとうの理解を作りたいと思います。そして、その力によって、さらに自然を活用する道を開きたいと思います。」

これがゴーサルズの最初の約束でした。そして、この約束は、ただ技師とか、監督とかいう人たちだけに向かっての約束ではありません。同時に、労働者や、その家族たちに向かっての約束でもありました。

人間は、すでに古代においても、ずいぶん大きな工事をしてのけました。エジプトのピラミッドとか、バビロンの宮殿《きゅうでん》とか、中国の万里（ばんり）の長城など、その遺《い》跡《せき》は、今もなお、人の目をおどろかせ、人間の力の偉大《いだい》さを賛嘆《さんたん》させます。しかし、これらの大事業は、みな、ドレイを使って、しとげたものです。容赦《ようしゃ》のないムチが多数の人間を、牛馬のように駆《か》りたてて、できたものです。今、もし、パナマ運河ができあがったならば、それは、もちろん、ピラミッドや万里の長城をしのぐ大事業でしょう。だが、その事業が、古代と同じく、人間をムチで追い立てて、成しとげられるものであったならば、それは人間の恥辱《ちじょく》を大きく歴史に残すことにほかなりません。ムチではなく、正しい理解が人間を仕事に駆り立ててこそ、その仕事は人間のほこりとなりましょう。ゴーサルズが築きあげようとするのは、この正しい理解でした。

これはまた、仕事をとどこおりなく進めて行くためにも、必要な注意でした。なぜかと言えば、この仕事のために働く労働者は、ことばも風俗《ふうぞく》もちがったさまざまな人種の集まりでした。同じ人種のあいだでなら、誤解の起こらないことでも、人種がちがうと、そのあいだに大きい誤解を生ずることがありがちです。そして、そういう誤解が生じたら、多数の人間の協力は成り立ちません。ですから、ゴーサルズは、監督たちが労働者に手あらいことをするのを絶対に禁じました。乱暴なことばを使うことや、口ぎたなくののしることを、わざわざ命令書を出して、禁じてしまいました。

「おい、うわさとは、だいぶ様子がちがうな。」

労働者たちは話しあいました。

「現場監督が、このごろ、からいばりをしなくなったじゃねえか。」

「親だまの命令があったんだ。おれたちには大きなつらをしていても、親だまには、あいつらもあたまがあがらねえんだよ。」

軍人が委員長になったら、どんなにひどいあつかいを受けることか、と案じた労働者たちの心配は、いつのまにか消えてしまいました。

五、黄いろい自動車

パナマの運河工事には、二つの難関がありました。一つは、この地帯のうちで、最も高くそびえているクレブラの石やまの切り割り作業です。もう一つは、丘《おか》の上に船を引きあげるための水門設備です。

石やまの切り割り作業は、フランス人が大いに苦しめられたもので、彼らが失敗した原因の一つになっているほどです。それを知っていますから、ゴーサルズはフランス人の使った旧式の機械をやめて、最新式の機械を取りよせ、これでもって切り割り作業にあたらせました。しかし、それでも、工事は思うように進まず、そのうえ、地すべりや、地われがあったりして、予想以上の難工事になやまされました。

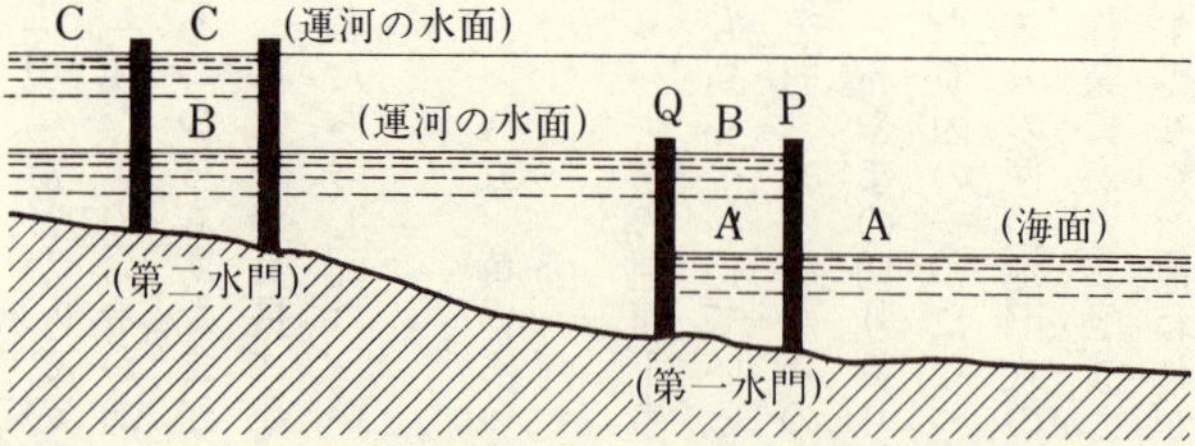

第二は船を丘の上に引きあげる問題です。運河の通過する土地がたいらであるならば、ただ、ほり割りを掘《ほ》って行けばいいのですが、パナマの地帯のように、中央に山脈が走っている場あいには、そんなわけにはいきません。もっとも、はじめの計画では、海面と同じ水位の運河を作る設計でしたが、低いとはいっても、山脈のまん中を切り開くことは、技術の上からも、経済の上からも、困難が多いので、ルーズベルトやゴーサルズは断然これを中止してしまいました。そして、水をせきあげることによって、船を丘の上に運ぶ計画を立てました。すなわち、運河が丘のふもとに達したところで、その中央に二重の水門を作って、前後の水位を変化させ、それによって、船を一つの水面から、他の水面に上下させるようにするのです。それを図にしめすと、次のようになります。

Aは海面と同じ高さの運河の水面、Bは海面よりも高い運河の水面です。今、船がAからBに向かって進むとすると、第一の水門の鉄トビラQを閉じ、Pを開けば、第一水門の水位は、

Aと同じになりますから、船はすらすらと第一水門の中にはいります。そうしたら、Pの鉄トビラを閉じて、Qの横の穴から水を第一水門の中に入れます。そして、水門の中の水をBの水位まで高めると、運河の水面と同じ高さになり、船も同時に浮《う》かびあがります。その時、鉄トビラのQを開くと、船はBの水位の運河を進むことができます。第二の水門の場あいも、同じ順序をふんで、Cの水位に達することができます。

こういうふうにすれば、かなり高い所まで船をあげることができるわけですから、ゴーサルズはパナマ運河の最高水位を、海面から約二十六メートルの高さに引きあげ、右のような水門装置によって、運河をのぼり、さらにそれとは逆なやり方で、運河をくだるように立案しました。これなら船が、中央の山を通りぬけることができるわけです。

しかし、この設計だと、水門を開いて、船を上下させるたびごとに、おびただしい水が流出することになります。この水量を、どこに求めるかが、大きな問題になってきます。これにたいして、ゴーサルズは、中央の山地帯の南北の谷をふさぎ、付近の川の水を、これにそそぎこんで、いくつかの人造湖を作ることにしました。地図にガツン湖とある大きな湖も、昔からあった湖ではなくて、この時に作ったものです。ところどころ、島のように見えているのは、もとは山のいただきだったのですが、大部分が水の中につかってしまって、頭だけ残っているのです。この湖の大きさは、ビワ湖の約三分の二ぐらいあるので、水門をあけたてした時、流れ去る水量をおぎなって余りあるのみならず、運河の水路として、非常に大きな役わりをはたしています。

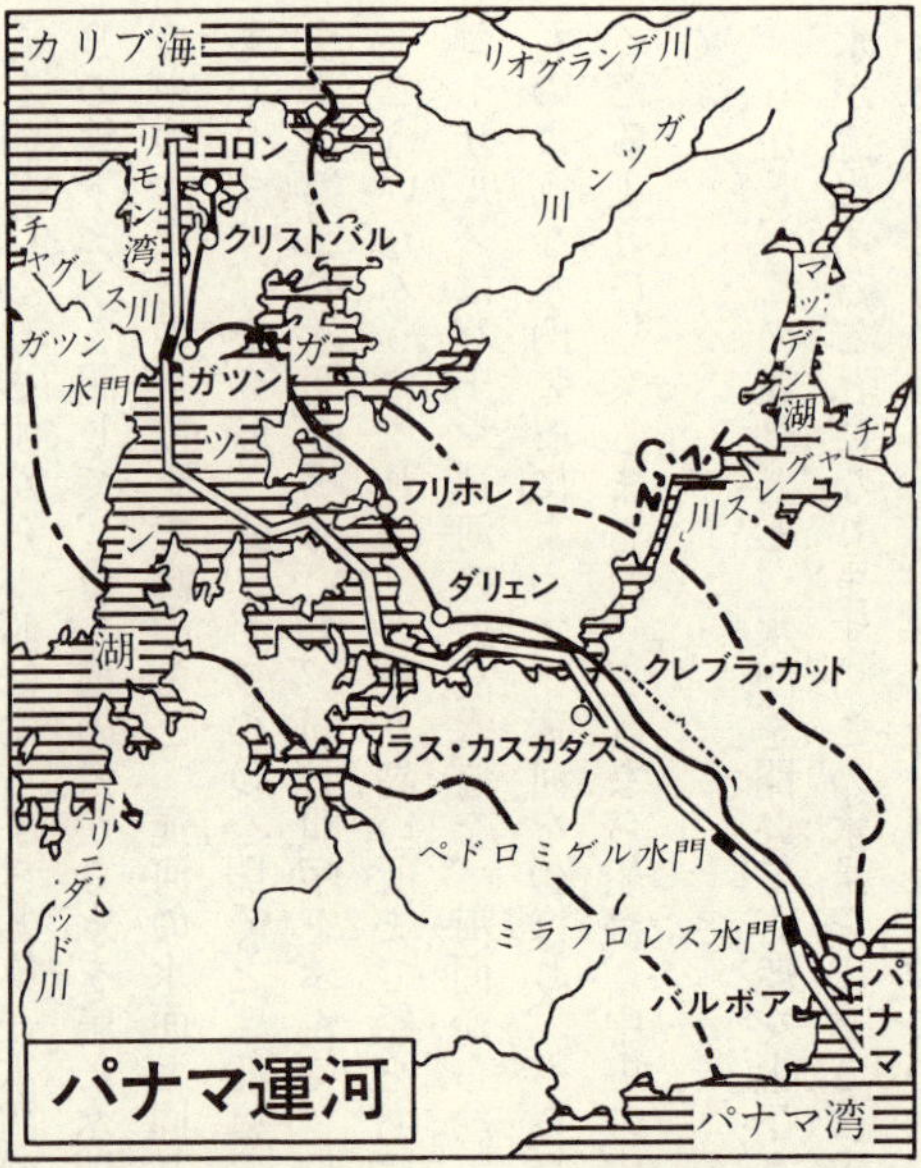

点線（————）の内がわがパナマ地帯

岩石をかみくだいてゆくサクガン機のひびき、発動機の爆音《ばくおん》。ふきだされる湯げ。そのなかから聞こえてくる、蒸汽機関のあらあらしい呼吸。山のように土をもりあげて、貨車がいく台もいく台も列をなして、目の前を通り過ぎて行きます。シュンセツ機がその大きなツメに泥《どろ》をつかんでは、かるがると空中を運んで行きます。そのかたわらに、せわしく働き続けるポンプ、ポンプの口からほどばしり出る水。青ぞらにつき出た起重機の腕《うで》が大きく回転して行くと、そのさきにつるされたバケットから、コンクリートがなだれを打って吐《は》きだされます。労働者たちの顔は、みな、汗《あせ》にまみれてぎらぎら光り、ほこりを浴びたシャツは、ぐっしょりとぬれています。

切り立った遠くのガケの上で、赤い旗がふられました。岩かげからバラバラと労働者たちが飛びだして、にげてくるのが見えます。追いかけるようにしてとどろきわたる爆発の音。火の柱のようなものが、ぱっとひらめいたと思うと、白い煙《けむり》がもくもくと立ちあがり、煙は見る見る前面の山と空とをおおってしまいます。と、遠くのほうでながめている人々の付近にも、ひとしきり岩のかけらや、ジャリが、アラレのようにふってきます。やがて、雲のみねのように、もりあがった煙がくずれて、風に流れて行くと、以前の山は、もうその肩《かた》をけし飛ばされて、無残な姿で、そこにうずくまっています。

また、爆発。続いて、また、爆発。

ダイナマイトは大地を震動《しんどう》させながら、ぐんぐん山の形を変えてゆきました。

ぬま地の水はかいだされ、河の岸は堤防《ていぼう》で固められました。原始林が切り払《はら》われて、コンクリートの道路が、黒々としげった森の中から、工事場の岩やまへ、まっすぐに続いて行きます。こうして、パナマのおもかげは、一日、一日と、変わって行きました。もし、高い空からこの土地を見おろしたならば、幅《はば》の広い一条のミゾが、大西洋からおく地に向かって、虫のはうように、日ごとにのびて行くのが見えたでしょう。

それは、すばらしい工事でした。二十世紀のはじめに、これだけの大工事は、ほかにありません。測量図をかこんで、技師たちは、そのころの工学の知識をかたむけつくしました。今まで運河の建設に使われたことのない新式な機械が、どしどし取り寄せられました。三万人の人間が、一つの計画に従って、汗とほこりにまみれながら働きました。人間の持っている知力、機械力、労働力が、そのあらんかぎりの力を注ぎこみました。そして、このさまざまな力を一つにまとめあげ、大きな組織として働かせるためには、ゴーサルズのような人間がいなければならなかったのです。彼《かれ》の仕事のなかで、一番大切なのは、人間と人間との組織でした。

ナポレオンがエジプトに遠征《えんせい》した時、フランス兵は、マメルークという、たくましい土人に、ずいぶん苦しめられました。マメルーク人は世界一と言っていいほどの騎兵《きへい》でした。気性《きしょう》は勇ましく、からだはヒョウのように、すばやいのです。張り切った馬をらくらくと乗りこなして戦います。この土人の一隊が風のようにおそいかかる時、フランス兵もしばしば破られました。しかし、ナポレオンは、結局、この土人をうち負かし、その土地を征服してしまいました。どうしてナポレオンは、この強い土人に勝つことができたのでしょう。

マメルーク人は、ひとりびとりとしては勇ましい戦士でした。フランス兵がマメルーク人と一騎うちをしたら、とてもかないません。しかし、マメルーク人には組織の力がありませんでした。団体としての力がありませんでした。百人の人間が協力し、一つになって働くならば、その力は、ひとりの力の百倍ではききません。フランス兵は、ひとりひとりではマメルーク人に及《およ》ばなくても、団体となって、その力を数倍にすることを知っていました。ところが、マメルーク人はそれを知らないのです。そのために必要な規律も養われていませんでした。ですから、部隊が大きくなればなるほど、フランス兵は優勢となり、マメルーク人は不利になりました。ナポレオンは団体の力によって、彼らをうち負かしたのでした。

「マメルーク兵ふたりは、三人のフランス兵を負かすことができる。だが、双方《そうほう》百人になると、力はちょうど五分五分だ。三百人ならば、フランス兵のほうが、たいていマメルーク人に勝つ。フランス軍が一千になれば、今度は千五百人のマメルーク兵を、いつでもうち破ることができる。」こうナポレオンは語りました。

今、ゴーサルズのあい手は、たくましい土人ではなくって、強大な自然です。使う道具は、小銃《しょうじゅう》や大砲《たいほう》ではなくて、土木の機械です。けれども、ナポレオンの経験は、ここにもそのまま当てはまります。三万人の人間は、一つの目的のために団結し、一つの計画に従って働けば、ひとりの力の三万倍よりも、もっと大きな力を生みだします。いや、生みだされねばなりません。そうしなければ、この大工事は完成しないのです。

また、そのためには、ひとりびとりが自分の受けもった仕事を、立派に果たして行かねばなりません。ゴーサルズは、設計図をひろげた机をかこんで、技師たちといっしょに計画を練るばかりではなく、工事の現場のすみずみにまで目をくばりました。計画がその通り実行されているかどうか。機械が思った通りに動いているかどうか。全体のつながりがうまくついているかどうか。

「おい、きたぞ、きたぞ。」

シャベルをふるいながら、労働者たちは、よく、こうさけびました。山のすそをめぐる白い道路の上を、――それでなければ、森を抜《ぬ》けて走る街道《かいどう》を、一台の黄いろい自動車が、砂けむりを立てて近づいてくるのです。近づく自動車のなかには、いつも背びろ服を着たゴーサルズが乗っていました。自動車がとまると、すぐ飛びおりて、つかつかと工事場に近よります。日に焼けた顔は、いつも元気にあふれています。タカのような目で工事を見わたし、そばにいる監督《かんとく》に、二、三、するどい質問をくだします。答えが満足だと、そのまま、すぐ自動車に飛び乗ります。自動車はふたたび砂けむりをあげて、次の工事場へと走って行きます。

黄いろい自動車はどこにもあらわれました。堤防工事の場所にも、爆破作業の場所にも、材料おき場にも、時を定めず、姿をあらわしました。朝も、昼も、夕がたも、——いや、夜でさえ、ヘッドライトをかがやかせて走るこの自動車のなかに、書類を調べながら、どこかへ急ぐゴーサルズの姿を、人々はよく見かけました。彼は毎日、朝五時に起きて、夜十時に寝《ね》るまで、ほとんど休むひまもなく働きました。工事場のどんな片すみでも、目をつぶれば、彼の記憶《きおく》に、はっきりと浮かんできます。数しれないその一つ一つが、まるで毛糸のあみ物のように、おたがいにつながり合っていました。そのつながりの糸が少しでももつれれば、彼はすぐにそのもつれをといて行きました。運河、運河、そのほかには、この世に何もないかのような熱心さでした。

暑い日ざかりの道を、砂けむりをあげて遠ざかって行く黄いろい自動車を見おくりながら、労働者たちは言いました。

「おやじは、夜、寝るときにも、運河をかかえて、ベッドにはいるんだぜ、きっと。」

六、病原の研究

アメリカ合衆国がパナマ運河を掘り始めてから、ここで働く人間の数は平均三万三千人で、その家族の女や、子どもを入れると、六万五千人がこの土地に集まっていました。六万五千人といえば、かなりな市の人口と同じ数です。いろいろな役所、警察、郵便局など、みな、ひと通り、そろわなければなりません。これだけの人間の住む家も造らなければなりません。その人々のたべる食物も心配しなければなりません。子どもたちの学校も必要です。なんのことはない、一つの小さな社会が、ほとんど住む人もなかった土地に、突然《とつぜん》、生まれ出たのです。運河を築いていくのと同時に、この小さな社会も、しっかりと築きあげていかなければなりません。これがくずれれば、運河もくずれてしまいます。

ところが、ここに待ちぶせしていたのは、目に見えない敵でした。パナマの風土病が、すきを見て、人間におそいかかってきたのです。人々は、一方で運河を掘りながら、一方では、同じ腕で墓あなを掘らなければなりませんでした。マラリア熱と黄熱病、これが、この見えない敵でした。

だれにとっても、おそろしいのは黄熱病でした。二十五年前、フランスが二万二千の生命を失って退却《たいきゃく》したのも、このためでした。この病毒が人のからだにはいると、その人は全身がだるくなり、目は充血《じゅうけつ》し、はげしい発熱とともに、からだじゅうが黄いろくなります。まもなく、しゃっくりが起こって、やがて、まっ黒なものを吐いて苦しみ始めます。そして、たいていは、この苦しみのなかに、身をもがきながら死んで行くのです。そのうえ、おそろしい伝染力《でんせんりょく》で、ひとりの患者《かんじゃ》が出ると、たちまち、なんにんにも広まってしまいます。もしこの病魔《びょうま》を、思うままにあばれさせておく時は、なん万人の生命があってもたりません。なん万人の人間が海を渡《わた》ってこの土地にやってこようとも、かたっぱしから墓に運びこまれてしまうばかりです。

さいわいなことに、アメリカ人は黄熱病にかけては、深い経験を持っていました。パナマやメキシコほどはげしくはありませんが、北アメリカの南部にも、この病気はありました。そして、なん千という人間が、この病気のために死んで行くような悲惨《ひさん》な目にも、いくたびか会いました。ことに、にがい経験をなめたのは、アメリカの陸軍でした。フォート・ブラウンというところでは、一度に二千人以上の患者が、兵士のあいだから出たことがあります。また、スペインと戦争した時、当時スペインの領土だったキューバとポルト・リコに侵入《しんにゅう》しましたが、そこは黄熱病の中心となっている土地で、この流行病のためにアメリカ軍の兵士は続々とたおれ、その数は、実際の戦争で死んだ数よりも、はるかに多かったのでした。黄熱病をなんとかしなければならない、なんとしてでも、この病気を退治しなければならないと、本気になって研究したのはアメリカ人、ことに、アメリカの陸軍でした。そして、また実際、パナマ運河の工事が始まる前に、彼らは、すでに立派な成績をあげていました。黄熱病はどうすれば退治できるか、それを発見したのは、アメリカ陸軍の軍医部でした。その退治にすばらしい腕をふるった人物も、同じく軍医のなかからあらわれました。どうして彼らは、その発見に成功したのでしょう。また、その人物とは、だれでしたろう。話は、しばらくパナマをはなれて、タバコの産地として有名なハバナの町にうつります。

多くの伝染病と同じように、黄熱病も不潔がその流行の原因だ、と専門家も、しろうとも、みな、そう考えていました。ですから、患者にふれたり、患者の衣類や寝具《しんぐ》にさわることを、だれも、おそれていました。患者の身についたものは、たいてい焼き捨てました。ひどい時には、患者の出た家を、すっかり燃やしてしまったことさえあります。

アメリカがキューバ島を占領《せんりょう》して、ハバナの町を治めることとなった時も、同じ考えでした。この町の衛生を管理していた軍医、ウィリアム・ゴーガスという人は、足のふみ場もないほどきたないハバナの町を清潔にするため、非常な努力をはらいました。成績があがって、やっと町もきれいになってきましたが、黄熱病の流行は少しもおとろえません。そればかりか、皮肉にも、不潔な町には、あまりこの病気が出ないのに、かえって清潔な住宅地から、続々と患者が出てくるのでした。

これは根本から研究しなければだめだ、そう考えた軍医総監は、ウォルター・リードという人を委員に命じ、三人の部下をつけて、この研究に従事させました。彼らはハバナにきました。しかし、どこから研究の手をつけたらいいか、さっぱりわかりません。その時、リードは、ふと、妙《みょう》な話を聞きこみました。――フィンレーという医者が、世間の人に笑われながら、もう二十年も、蚊《か》が黄熱病流行のもとだ、と言い張っているというのです。

フィンレーが「黄熱病は蚊からうつるのだ。」と言いだした時、世間の人たちは、あい手にしませんでした。しかし、フィンレーは、あくまでも蚊が黄熱病を媒介《ばいかい》するのだ、と言い張ってききません。ある時は、医者の会で、ある時は、町の有力者たちに、ある時は、印刷物によって、彼は自分の考えを説きまわりましたが、あい変わらず、彼のことばに耳をかす者はありませんでした。でも、二十年間、彼は、人からあい手にされないこの意見を、がんこに守り続けました。

ひと口に、蚊といっても、蚊には八百種もちがった種類がある。黄熱病をうつしてまわる蚊は、ステゴミーヤといって、黒いからだに銀いろの筋のはいった蚊である。そこまでフィンレーはつきとめて、その蚊を飼っていました。「では、実験してみろ。」彼ががんこに言い張るので、人々は彼に実験を求めました。彼はステゴミーヤに黄熱病患者の血を吸わせ、すぐに健康な人をさせてみました。しかし、その人には、なんの異状もありませんでした。「それみろ。」人々は、一そうフィンレーをあい手にしなくなりました。

ところが、ハバナの黄熱病に手を焼いて、どこにこの病気の原因を求めていいか、迷いに迷ったウォルター・リードは、フィンレーのことばに、はじめて耳をかたむけました。「ひょっとしたら、ここに、このなぞを解くカギがあるかも知れない。これを一つ、徹底《てってい》的に調べてみよう。」

フィンレーの飼っていたステゴミーヤという蚊が、黄熱病患者の血を吸ったあと、すぐ健康な人をさした時、病気がうつらなかったのは、事実です。しかし、患者の血を吸ってから、なん日かたって、初めて伝染力が発生するのだとしたら、これだけの実験で、この蚊が黄熱病と無関係だとは言い切れません。マラリア熱の場あいにも、患者の血を吸った蚊は、しばらくのあいだ危険がないのです。もっと、もっと、いろいろな実験をしてみなければならない、リードも、彼の部下も、そう考えるには考えましたが、さて、その実験ということになると、はたと困りました。この蚊は、毛ものをささないので、動物実験ができなかったからです。

そこで、やむなく、人間で実験をしてみるよりほかはありませんでした。しかし、いのちにかかわる実験ですから、他人を使うというわけにはいきません。とうとう彼らは、「われわれの生命をさし出そう。われわれ自身のからだで、実験してみよう。」と、悲壮《ひそう》な決心をしました。

彼らは、自分のからだを実験の材料にさし出し、黄熱病患者の血を吸った蚊に、いろいろのやり方で、ささせてみました。その結果、ラジールとキャロールというふたりは、とうとう黄熱病にかかりました。ふたりとも、妻もあれば子もある人でした。彼らが、もし死んだら、その家族たちのなげきはどんなでしょう。いや、家族たちはともかく、彼ら自身、その愛している妻や子と永遠に別れなければならないのです。いよいよ黄熱病にとりつかれた、そうわかった時の、彼らの気もちほど複雑なものは、おそらくなかったでしょう。妻子と別れる日が近づいたということは、たとえ、かねて覚悟《かくご》はしていたとしても、どんなに彼らの胸をかきみだしたことか、同時に、いのちをかけてやった実験が、むだではなかったと考えれば、病気の苦痛のなかにも、涙《なみだ》がうかぶほど、うれしい気もちがしたにちがいありません。ラジールは、手あつい看護のかいもなく、とうとう死んで行きました。キャロールも、ほとんど死ぬばかりの重体におちいりましたが、これはさいわいに生命をとりとめました。しかし、とにかく、この悲痛な実験のおかげで、ステゴミーヤと黄熱病とが関係を持っていることだけは、確かめられました。

リードはこれに元気を得て、なおも辛抱《しんぼう》づよく、研究を続けました。今度は、決死的な志望者をつのって、その実験を続けて行きました。この人々のうち、数人は、黄熱病患者の死んだベッドや、その患者の吐《は》いた汚物（おぶつ）でよごれたものの一ぱいに積みあげてある部屋にはいり、蚊が出いりしないように窓をふさいだなかに、数日を暮らしました。一方では、また、数人の人が、風とおしも、日あたりもよい清潔な部屋に、黄熱病患者の血を吸ったステゴミーヤといっしょに、数日を送りました。その結果は、どうでしたろう。不潔な部屋で暮らした人々には、別状がなく、衛生的な部屋に――しかし、蚊にくわれながら暮らした人々は、黄熱病にかかりました。これでみると、黄熱病は患者の衣類や汚物からうつるのではない、それは、全くステゴミーヤという蚊からうつるのだということが、もはや疑いないこととなりました。

長いあいだ、強い忍耐《にんたい》をもって続けられた研究は、とうとう実を結びました。黄熱病の直接の原因は、ステゴミーヤという蚊だとわかりました。もっとも、同じステゴミーヤでも、雄《おす》のほうは、なんの危険もなく、ただ雌《めす》だけが病毒を運ぶのです。そして、雌でも黄熱病患者の血を吸ったものでなければ、害はないのです。そればかりではありません。おどろいたことには、たとえ黄熱病患者の血を吸っても、その患者が発病後三日を過ぎている場あいには、その蚊は少しも害がありません。その期間だけ、患者の血の中に特別な毒素がふくまれているものと見えます。そのうえに、たとえ、この毒素をすった場あいにも、それから十四、五日間は、なんの害もなく、十四、五日すぎてから、初めて病毒を伝えるようになるのです。そして、五十七日間、それが続きます。こういう複雑な事情があったので、フィンレーは、この蚊が病気を運ぶということを発見しながら、それを証明することができなかったのでした。

今や、リードとその部下の人々が身命をささげて研究した結果、すべてが明白になりました。しかし、この発見を実際に活用して、黄熱病を退治する仕事は、もうひとりのすぐれた人物にまかされました。ウィリアム・ゴーガスこそ、その人でした。

七、軍医ゴーガス

黄熱病は蚊が伝染させる。ただこれだけのことを確実に知るまでに、人間はなんという大きな犠牲《ぎせい》を払《はら》ったことでしょう。なん万という生命をうばわれ、なん百万という金をむなしく費《つい》やしたのち、少数のすぐれた研究者のいのちがけの苦心によって、はじめて、それが確実な知識となったのでした。しかし、一たん、それが確実な知識となるやいなや、人間は、もはや黄熱病にもてあそばれる弱い生物ではなくなりました。人間はこの病気を根だやしにする確かな方法をも、同時に発見したのです。黄熱病にかからないようにするには、どうしたらよいか。ステゴミーヤという蚊にさされなければよい。黄熱病を根だやしにするには、どうすればよいか。蚊というものを滅《ほろ》ぼしてしまえばよい。答えは簡単です。

だが、この簡単な答えを実行にうつすためには、大きな困難がありました。黄熱病の患者を特別な病室に入れて、蚊が患者の血を吸うことがないように、蚊の出いりを防がなければなりません。健康な人も窓にこまかい網《あみ》を張って、いっさい蚊を部屋のなかに入れないようにしなければなりません。ドブや水たまりの水を干して、蚊の幼虫であるボーフラがわかないようにしなければなりません。ボーフラのわいている水には、石油を流して、それを殺してしまわなければなりません。数万の人が住んでいる町のすみずみにまで、この注意を行きとどかせることは、口で言うように、容易なことではありません。まして、ハバナのように、土人が不潔な生活になれ、公徳心を持ちあわせていない土地では、これは、ほとんど不可能に近いことでした。

第一、土人たちは、たいてい軽い黄熱病に一度かかって、免疫《めんえき》になっているものですから、白人ほど、この病気のおそろしさを感じません。だから、なんだって蚊のことぐらいで、こんな大さわぎをするのか、彼《かれ》らには一向わかりません。けれど、土人たちがこの注意をおこたるならば、いつまでたっても、黄熱病を退治することはできないでしょう。ハバナの衛生を監督《かんとく》していたウィリアム・ゴーガスの苦心は、ひと通りではありませんでした。

しかし、結局、ゴーガスの休みない努力が勝ちを得ました。数年のうちに、ハバナの町は、蚊をほとんど絶滅《ぜつめつ》して、生まれ変わったような健康地になりました。下水が完備し、蚊がいなくなり、黄熱病が追いはらわれてみると、メキシコ湾《わん》にのぞんで、海洋をわたる南風がさわやかにかようこのハバナの町は、申しぶんのない避暑《ひしょ》、避寒地となりました。昔からの記録によると、百五十年このかた、毎日、黄熱病患者の出ない日はなかったハバナに、もう、ひとりの黄熱病患者も出なくなりました。

世界中がこのすばらしい成績にびっくりしました。ゴーガスの名は急に有名になり、国会は特別な条令によって、彼を一等軍医正に昇進《しょうしん》させました。黄熱病の流行に苦しんでいる世界の各地は、人を派遣《はけん》してゴーガスの方法を視察させ、これに見ならわせました。ですから、アメリカ合衆国がパナマ運河の事業に着手して、まず、パナマの黄熱病を処理しなければならないと思った時、政府は少しも迷うことはありませんでした、「ゴーガスをパナマにやればいい。彼をこの仕事に当たらせればいい。」

ゴーガスはもう五十を越《こ》していました。髪《かみ》の毛も白くなりかかり、やさしい目もとに、しわがよってきて、せいの高い上品な、やせ型のからだにも、さすがにどこか、長い苦労を思わせるやつれが見えていました。しかし彼は、まだ休息を許されなかったのです。もう一度、数年間にわたる、そのはげしい努力をくり返さなければなりません。熱帯の炎暑《えんしょ》と、湿地《しっち》と、密林とのなかで、目に見えない病魔と戦わなければならないのです。

「自分の一生は、結局、この病気を世界から追いはらうための一生だ。この病気がこの世に残っているかぎり、自分の戦いも、やむ時はないのかもしれない。」

パナマの夏の夜、一日の仕事を終わったあとで、彼はときどき自分の一生をふりかえって、こういう感慨《かんがい》に打たれたにちがいありません。考えてみれば、黄熱病とゴーガスとの因ねんは、ハバナの町に始まったことではありませんでした。それよりも、はるか前、彼がまだ血気の青年であったころ、すでに関係のあったことなのです。

彼の父おやは軍人でした。軍人の家庭で育てられた彼は、いつか自分も軍人として一生を送りたいと思うようになりました。そして、中学校を終わると士官学校に入学願書をだしました。しかし、残念なことに、彼は入学を許されませんでした。彼の父おやが南北戦争の時、南軍の一司令官として働いたことが、その時の政府の気に入らなかったものと見えます。しかたがないので、彼はニューヨークのある医科大学へ入学して、医学の勉強をしました。そして、卒業後、軍医になることを希望し、ゆるされて、やっと軍籍《ぐんせき》に身をおくことができるようになったのでした。軍医になってしばらくすると、フォート・ブラウンで二千人の兵士が一時に黄熱病におそわれるという事件が起こりました。彼は、多忙《たぼう》をきわめているその地の軍医を助けるために、そこへ送られました。ところが、多くの将卒を看病しているうちに、彼自身も、その病気にかかってしまい、あやうく、いのちを落とすところでした。そんなわけで、この病気とは——考えて見ると、もう二十余年にわたる因ねんを持っているのでした。それ以来、一度黄熱病をわずらった彼は、黄熱病に対しては免疫になっていました。

黄熱病の流行が始まったというと、いつも彼が、そこへ派遣されました。こうして、はからずも、彼は一生のあい手として、黄熱病を向こうにまわすことになりました。二十余年、いつのまにか、頭髪《とうはつ》も白くなったこの年まで、彼は絶えず、この一つの敵と戦ってきました。人間の生命をうばい合う戦いではなく、人間の生命を救う戦いが、いつか彼の一生の戦いとなっていました。

ゴーガスが衛生隊を指揮するためにパナマにきたのは、ゴーサルズがまだ委員長にならない前でした。彼は、以前ハバナでやった通り、徹底的に蚊をこの地方から追っぱらってしまおうと決心しました。まず、いっさいの水たまりをなくすため、沼《ぬま》や池の水を干して行くことにしました。どうしても干すことのできない場あいには、油を流してボーフラを殺すことにしました。一匹《ぴき》でも蚊を発生させまい、蚊という蚊は一匹もあまさず滅ぼしてしまおう、それが彼の方針でした。これはパナマでは、ことに必要でした。黄熱病ばかりでなく、マラリア熱も、さかんにこの土地を荒《あ》らしまわっていたからです。もちろん、今度も、患者《かんじゃ》を隔離《かくり》して病気の伝染《でんせん》を防ぐばかりでなく、家々の窓にこまかい網を張って、蚊の侵入《しんにゅう》を防ぐことにしました。

しかし、わずか数キロ四方のハバナとはちがって、この運河地帯のパナマは、幅《はば》十六キロ、長さ八十キロの広い地域でした。いたるところに、沼があり、密林があり、小さな水たまりは、数かぎりがありません。これをことごとく片づけることは、容易ならぬ大事業です。それればかりではありません。この細ながい地帯の、東西のはしにある、二つの大きな町となると、なお一そう、手がつけられない状態でした。東のほうはコロン、西のほうは、この地方全体と同じ名のパナマという町、この二つの町は、どっちも、不潔な町でした。軒《のき》したには、下水とは名ばかりで、いつも腐《くさ》った水が、流れもせずによどんでいます。水がとぼしいため、どの家の戸ぐちにも、雨みずをためた水オケがおいてあります。蚊はここで思う存分にふえてゆきます。窓に網など張った家は一軒《けん》もありません。ごみも家の近所にすてたままで、だれひとり、かたづける者もありません。敷《し》き石のない往来は、一度雨が降ると、水田のようにぬかるので、いく日たってもかわきません。これで流行病が出なければ、出ないほうが不思議なくらいです。

ゴーガスは、これらの町に、まず飲み水を供給する水道から作ってかからなければなりませんでした。その水道ができあがるまでは、きれいな水をくばる給水所を方々に設けて、必要に応じることにしました。そして、雨みずをためる水オケはやめて、いっさいの水オケには、しっかりしたフタをつけさせることにしました。一軒々々、衛生隊員に見まわらせて、窓の網とか、汚物の処置とかを指し図させました。町からはなれたところに住んでいる人々のためには、野戦病院ふうのテントの医院を設けて、病気が手おくれにならないようにつとめました。

こういう仕事は、どれも目だたない仕事で、しかも、非常に根気のいる事がらでした。費用はというと、目だたないわりに非常にかかるのです。ところが、当時の委員長は、蚊《か》を退治するために多大の費用を使うことが、どうしてもわかりませんでした。たかが蚊ではないか、蚊のために、そんなに出費がかさんではたまらない。そういう考えの委員長は、当然ゴーガスの要求する費用を出ししおしみました。

委員長でさえこうなのですから、いっぱんの人々がゴーガスの処置を喜ばなかったのは、言うまでもありません。マラリア熱や黄熱病が蚊を通じて伝染するという学説は、まだまだ一般《ぱん》には信用されていなかったのです。

「少しぐらい窓の網がこわれていたからって、ああやかましく、言わなくてもいいじゃないか。」

「あたしは、また、水オケにフタがしてないといって、しかられましたよ。」

こういう不平が、だんだん高まって行きました。ゴーガスはますます不人気でした。とうとうパナマの人々は、連名で政府に嘆願書《たんがんしょ》を出し、ゴーガスを本国へよびもどしてもらいたい、とまで申し出たくらいです。もっとも、この嘆願書は受けつけられませんでした。そして、ゴーガスはひき続きその地位にありましたけれども、しかし、費用はとぼしく、ひと手はたらず、そのうえ、人々の反感が強いので、仕事の困難は、ことばにつくせませんでした。

若い衛生隊員は、ときどき我慢《がまん》し切れないように、いらだちました。こんなことで、どうしてわれわれの仕事がやって行けよう。どうしてこのおそるべき流行病を防ぐことができよう。だが、当のゴーガスはいつも静かな微笑《びしょう》を浮《う》かべたまま、人々の無理解をしのんで行きました。彼の声も、目も、いつもの落ちつきを失ったことはありません。彼と向かい合っていると、だれでも、自然と心もちが静かになるのを感じるほどでした。彼は今までに、なん百人、なん千人という熱病患者を取りあつかってきていました。その経験のおかげで、彼はいつとはなしに、こういう余裕《よゆう》のある心を持つようになったのです。

ゴーガスが人々の無理解に対して腹をたてなかったのは、医者としての自信のためばかりではありませんでした。そのうえに、もう一つ、——彼は人間に対して深い愛情を持っていたのです。

ゴーガスは青年のころから、重体の病人を看病して夜を明かしたことは、いくどあったかしれません。氷まくらの氷を取りかえてやったり、時間々々に注射をしてやったりしながら、おりおり彼は、死に近づいている病人の顔を、しみじみと見まもることがありました。病人のなかには、健康であったころ、彼にはすきになれなかった人間もありました。いや、病気になってからも、正気のあるうちは、わがままを言ったり、ひねくれた根性《こんじょう》を見せたり、我慢のできないような、いやなことを言う人間もずいぶんありました。しかし、意識もおぼろになり、高熱におかされて、こんこんと眠《ねむ》りつづけている顔を見ていると、ふだんの反感など消えてしまって、なんとも言えぬしみじみした気もちになって行きます。

「この男は、もう何もわからないのだ。」

「このまま死んでしまうのかも知れない。」

そう思うと、あい手のこれまでの生活が、あさましければあさましいほど、ひねくれていればひねくれているほど、いつも、一そう深いあわれみと、同情の心でいっぱいになってしまうのです。

彼が熱心に看病しているとも知らず、病人はただ眠りつづけています。彼がつかれたからだで、いく晩も徹夜《てつや》をしていることも知りません。そして、さいわいに、この重病患者が回復したとしても、その人は、ゴーガスの心づくしに感謝するかどうか、わかりません。いや、少しでもよくなれば、また、以前の、いやな性質がよみがえってきて、彼にあたりちらすかも知れません。

「だが、それでもいいさ。それだって、ちっともかまやしない。病人は、回復に向かったのだから。」

元来、ゴーガスの血統はスペイン人でした。情熱に燃える血が彼の血管のなかに伝わっていました。子どものころには、腹がたつと、ことばよりさきに、げんこが飛ぶ、気みじかな子でした。しかし、長い経験のおかげで、彼は、いつか辛抱《しんぼう》づよい性格になっていました。

「わたしがハバナで仕事をしていた時にも、仕事の一番つらかった時には、世間は冷ややかだった。仕事が成功して、もうだれの助力もいらないとなったら、今度は、世間がちやほやしてくれた。世間ってものは、君、いつだって、そういったものだよ。」

若い部下に向かって、彼は、こう語ることもありました。

八、日曜相談所

ゴーガスの辛抱は、なお、長いあいだ続きました。委員長が代ってゴーサルズとなり、パナマの工事がにわかに活気を帯びてきましたが、そのゴーサルズでさえ、最初のうちは、衛生隊の費用がどうしてそんなにかかるのか、理解してくれませんでした。それについて、こんな話が伝えられています。

「ゴーガス君、君は知っているかね。君が蚊を一匹殺すのに、政府は十ドルずつも出しているんだよ。」

と、ゴーサルズが冗談《じょうだん》まじりに言ったところ、ゴーガスは微笑を浮かべながら、こう答えたというのです。

「ですが、委員長、その十ドルの蚊の一匹があなたをさしたとしたら、国家にとって、いかに多くの損害をひき起こすか、ということを考えていただきたいですね。」

これが切っかけとなったかどうかは、別問題として、とにかく、ゴーサルズはゴーガスの計画を、だんだん理解するようになりました。理解するとともに、持ちまえの男らしい決断力で、これはどんなことをしてもやりぬかねばならない、と決意しましゴーガスがとぼしい費用と不足な人員でやっていた仕事に、できるだけの援助《えんじょ》をおしまなくなりました。ぬま地の整理は、運河の工事と同じく大規模に遂行《すいこう》されることになりました。しかし、遠くはなれた本国の人々に、その必要を理解させることとなると、それは容易なことではありませんでした。大統領ルーズベルトさえ、蚊を追いはらうにしては費用がかかりすぎると考えました。ふたりの提出した予算は、いくども国会でけずられました。

けれども、ゴーサルズもゴーガスもそのまま引っこんではいませんでした。一方では、本国の理解を得ることにつとめると同時に、事業はどしどし進めて行きました。彼《かれ》らは千二百八十平方キロもあるパナマ地帯全体を、十七の地区に分け、それぞれの地区に、ひとりの監督《かんとく》と三人の助手をおきました。助手のひとりには、蚊に精通している人物を選び、もうひとりには、治水工事の専門家、残りのひとりは、労働者の管理に長じた人物を選びました。監督は毎日、自分の地区にあるマラリア患者や、黄熱病患者の数を報告します。もし一週間のうちに、その数が、一ないし一・五パーセント増したなら、ゴーガスはただちにその原因を調査させ、適当な手段をすぐに講じさせました。成績は次第《しだい》によくなって行き、流行病は、年とともに、した火になりました。

運河の工事も東西から掘《ほ》り進んで、ようやく、クレブラ山の中腹にさしかかりました。この岩やまに、深さ九十二メートルの大きなミゾを切りこんで行くのです。幅《はば》は、上部で二百メートル、底でも九十メートル、長さは十五キロもあるのです。けれども、これさえ突破《とっぱ》すれば、大西洋の水は太平洋の水とつながることができます。ゴーサルズは、いよいよ完成の時期が近づいたという気もちで、あらゆるエネルギーをここに集中しました。三十台の蒸気シャベルが、毎日、うなりをたてて働きつづけています。仕事はますますはげしくなり、ゴーサルズは、からだが二つあっても、三つあっても、たりないほどでした。

しかし、このあいだにも、「日曜相談所」は、あい変わらず開かれていました。日曜相談所？　だれでもパナマにきて、初めてこのことばを聞くと、不思議そうな顔をします。でも、パナマの人々にとっては、それはもう久しい以前から、なじみ深いものでした。

「私は、みなさんの利益を、自分自身の利益と同じように守るつもりです。その事について何かご意見がありましたら、どうぞ私に申し出ていただきたい。私は必ず、お目にかかりましょう。」

これは、ゴーサルズがはじめてパナマにきた時、歓迎会《かんげい》の席上で、人々に誓《ちか》った最初の約束でした。彼はこの約束を実行するために、日曜日を一般の面会日に定めました。この日には、パナマ運河に関係のある人は、だれでも、ゴーサルズに面会することができるのです。そして、どんな事がらでも彼に注文することができます。また、なんにつけても、彼に相談して、その意見を求めることができます。パナマでいっしょに暮らしている人々のあいだに起こったもんちゃくでも、工事場で起こった問題でも、いや、めいめいの家庭内の争いさえ、たいてい、この日に、ゴーサルズにさばいてもらうことになりました。人々はいつとはなしに、これを日曜相談所とよぶようになりました。

「材料おき場が仕事場から少し遠すぎます。あれはもっと近くするか、そうでなければ、あそことのあいだにトロッコを敷いてもらいたいと思います。」

こういう意見を述べにくる労働者があります。また、そのあとから、こんなことも言ってきます。

「わしらは、まい朝、出勤時間に出そろいますが、監督はすぐに仕事を始めません。そして、終わりの時間のほうを、かってに一時間ものばしたりします。これじゃ困りますから、なんとかしてください。」

夜業をしている技手はうったえます。

「私は夜勤をしていますが、朝、帰ってきて、やっと床《とこ》にはいると、きまって、隣《となり》のうちでバイオリンをひきます。あれではとても眠れませんから、とりしまってください。」

そうかと思うと、おかみさんがやってきて、まくしたてます。

「あたしどもだって、サムのうちだって、同じ一週十五ドルの労働者です。ところが、サムのうちにくばってくる肉はいつも上肉なのに、うちのは、かみ切れないような、かたい肉です。こんな不公平なことってありゃしません。」

なかにはまた、しんみりと、こんな相談をもちこんでくる母おやもあります。

「わたしどものロバートは、病身な子で、行くすえ、父おやのようにからだでかせぐことは、できそうもありません。これがニューヨークかシカゴのようなところでしたら、なんとか、からだを使わない商売をおぼえさせる道もありましょうけれど、こんなに遠く、本国をはなれていては、それをしこむこともできません。どうしたらいいでしょう。」

ゴーサルズは、こういうさまざまな不平や注文を、一つ一つ注意して聞きました。もっともだと思うところにくると、彼は大きくうなずきました。話し手の誠実がわかってくると、彼の目もかがやいてきました。ときどきおかしな話に出あうと、彼は、ひびきのいい、大きな笑い声をあげました。しかし、いかにも悪意がないので、笑われた当人まで、つりこまれて、いっしょに笑いだしてしまいました。また、時によると、話し手の苦しい思いが、彼の心にふれることがあります。そういう時には、ライオンのような彼の顔が、やさしくかげってくるのが見えました。

人々は、たとえ最後に彼のあたえてくれた裁決が、最初、自分たちの願っていた通りでなかった場あいにも、とにかく、自分たちのことばが聞いてもらえたということに、十分満足を感じました。彼のところに何かうったえにきた人は、だれでも、彼と会って帰る時には、自分のいちばん心にかかることを、親切な聞き手に話すことができた喜びで、いつか心も明かるくなっているのを感じました。「どんな事にも、あの人はいいかげんな返事はしない。」こう思うだけでも、不幸な人々には、なぐさめでした。

たしかに、ゴーサルズは、どんな人に向かっても、一々、しっかりした返事をあたえました。必要な処置はすぐ取ってやりました。ですから、ゴーサルズには、日曜日も休日になりません。普通《ふつう》の人々には、一週間に一日ずつの休日があっても、ゴーサルズには、休日というものは一日もありませんでした。

なさけねえこと、悲しいことは、
みんな大佐に持って行け。
聞いてもくれるし、わかってくれる、
おいらのおやじの大佐どのは。

これは、パナマ運河で働いていた人々のあいだで歌われた、小うたの一つです。この小うた一つを見ても、いかにゴーサルズが、彼らから、したわれていたかがわかるでしょう。

この日曜相談所のおかげで、ゴーサルズは、工事場のすみずみばかりでなく、パナマで暮らしている六万五千の人々の日常生活のすみずみまでも、よく知ることができました。この人たちの、その日その日の楽しみがなんであるか、苦労がなんであるか、どこに不満があって、どこに満足があるか、それがくわしくわかってきました。どんなにつまらなく見えることでも、彼はかろがろしく見すごしはしませんでした。彼がパナマの人々のために、毎日の生活に必要な品を本国から取りよせる時、特別、厳重な取りしまりをしたのも、そのためでした。それは、たいてい、アメリカの商人が見本を出して注文をとり、あとで本国から送ってくるのです。彼は役人たちに命じて、厳重に検査させ、すこしの不正も許しませんでした。肉類、小ムギ粉、カンヅメの類《たぐい》は、そのなかに、ちょっとでも悪いところがあると、その全部をつき返してしまいました。このことにかけては、彼はみじんも遠慮《えんりょ》をしませんでした。どんな品ものであろうと、少しでも見本とちがったものがとどけられたら、容赦《ようしゃ》なく、次の便船で送りかえし、すぐに正しい品をとどけさせました。ある時など、窓に張るこまかいあみ目の布を一度にたくさん買い入れましたが、検査して見ると、彼の注文とはちがっているものが、そのなかにまじっていました。彼はいつもの通り、即座《そくざ》に全部おくり返せと命じました。しかし役人たちは、あまりその分量が多いので、こんな多量なものを全部おさめなおさせることは、前例がないと言いだしました。

「悪いものだけはねて、いいものは取ってやったら、いかがでしょう。たいていのところで我慢《がまん》してやらなくっちゃ、気の毒です。」

「いや、断じて許しません。全部、すぐ、つっ返してしまいたまえ。」

と、ゴーサルズははげしく言いました。

「君ひとりのことなら、――あるいは、わたしひとりのことなら、たいていのところで我慢するのもよかろう。だが、これはそうではない。このパナマで働いている六万五千人全体にかかわることだ。絶対に許すわけにはいかない。」

彼が、いったん、こうと言ったら、たとえ大統領を呼んできても、彼の意志を変えさせることはできませんでした。

商人たちのなかには、係の役人にわいろを使って、なんとか、この検査をくぐりぬけようとする者がたくさんありました。一度ならず、こういう買収がくわだてられましたけれど、ゴーサルズの目が光っているので、みな、失敗に終わってしまいました。

一年、一年、パナマの人々の生活は快いものになって行きました。ゴーガスの目だたない仕事も、ようやく芽をふいて、コロンやパナマの町には、下水が完備し、往来はきれいに舗《ほ》装《そう》され、清潔な市街が生まれました。延長八十キロにわたる工事場のところどころに、従業員のための運動場や、娯楽場《ごらくじょう》が設けられ、婦人たちのためのクラブもできました。運動場では、ベースボールをやる青年たちの、うれしそうな姿も見られました。クラブでは、夜、ピアノが清らかな音をたてていました。

九、完成

ゴーサルズがパナマに赴任《ふにん》してから、六年たちました。彼ははじめから自然をけいべつしませんでした。彼は自然を知り、自然を活用することに、努力を続けてきました。その努力がむくいられて、自然も彼に笑顔《えがお》を見せてきました。不健康地パナマは、健康地として、ようやく、よみがえりました。少しでも雨がふれば、遠慮えしゃくもなくあふれだしたチャグレス川が、堅固《けんご》にかためられた堤防《ていぼう》のあいだを、すなおに流れるばかりか、その水が、かえって、パナマ運河の交通を助けることになりました。最後までがんばっていたクレブラの岩やまも、今では、その岩で運河の岸をかため、ふところにふかぶかと水をたたえて、船の往来を守ろうとしています。自然は、けっして、人類の敵ではありませんでした。

こうして、工事は着々と進み、山と山とのあいだをせきとめて作ったガツン湖には、チャグレス川や、そのほかの水が満々と満たされ、世界最大の人造湖ができあがりました。その面積は四百二十三平方キロ、これが汽船の重要な交通路になると共に、水門の水を補充《ほじゅう》する源（みなもと）になるのです。

この湖の水位は、海面より二十六メートル高いので、大西洋からくる汽船は、運河の途中《とちゅう》で、三つの水の階段を登って、ガツン湖にはいることになっています。水の階段と言うのは、前に説明した水門のことです。水門の操作によって、船があがったり、さがったりするところは、ちょうど水の階段を上下するようなものです。しかし、この装置は、一度に十メートル以上はあげられないので、二十六メートルの高さに、船をあげるためには、三つの階段、すなわち、三つの水門が必要なのです。水門というと、粗末《そまつ》なもののように考えられるかもしれませんが、この水門は、鉄筋コンクリートのビルのような、堂々たる構造のものです。なん万トンという大きな汽船をあげさげする装置になっているのですから、水門の鉄トビラ一つにしても、厚さ二メートル、幅《はば》二十メートル、高さは、二十五メートル、重さは、四百トンもあるのです。じつに、おどろくではありませんか。けれども、これが、寝室《しんしつ》のドアでもあけるように、電気じかけで、するすると、あけたてできるようになっています。しかも、こういう大トビラが、一つの水門の前後にあって、この二つのトビラのあいだは三百メートルもあり、その中に船がはいると、らくらくと上下に移動できるのです。そのうえ、水門は複線になっているので、のぼる船と、くだる船とが同時に通れるように設計されています。

この大装置が三カ所とも完成したので、いよいよ一九一三年、九月二十六日、ガツンの水門に、はじめて水を入れることになりました。円形の導水口から、水がどっとそそぎこまれました。いちばん低い水門の水位が、外がわの海平面運河の水位と同じになった時、水門の鉄の大トビラと、補助トビラとが、さっと左右に開かれ、見る見るうちに、水門内の水は、上部の水位と同じ高さに達しました。

「一分四十八秒、――操作完了《かんりょう》。――予定時間より十二秒短縮。」

と、高らかに報告されました。

「オールライト。オールライト。何もかも設計どおりだ。」

関係者は、おどりあがって喜びました。

この日、ガツン号という船が試運転をしました。ガツン号は満艦飾《まんかんしょく》をほどこし、汽笛を鳴らしながら運河をのぼってきました。船には、工事の関係者がいっぱい乗っています。みんな喜びに顔をかがやかせながら、岸の見物人に手をふっています。しかし、そのなかに、ゴーサルズの姿は見えませんでした。彼《かれ》は、水門のそばの岸壁《がんぺき》を、あちらに走り、こちらに走りながら、試運転の監督《かんとく》に余念がなかったのです。喜びや、楽しみは、まず、部下にゆずる、これがゴーサルズの信条でした。

当日とったゴーサルズのスナップショットは、なん枚もあるそうですが、彼を取りまく、ほかの人たちは、みんなカメラのほうを向いているのに、ゴーサルズの顔だけは、どれもこれも、どこか、よそのほうをながめているポーズばかりだったということです。彼の心は、いつも工事の上にだけあって、自分の上にはなかったからでしょう。

さて、ガツン湖の東の運河は、これで完成しましたが、湖の西のほうはどうでしょう。こちらがわの運河にも、ガツン湖ほど大きなものではありませんが、やはり人造の湖を造り、水門を設けて、船を上下させる装置を整えたことは、言うまでもありません。そして、この水門とガツン湖とのあいだの切り通しが、今までもしばしば出てきたクレブラ・カットです。ここは山の石がかたいばかりでなく、絶えず地すべりがあり、地われが起こり、地盤《じばん》の隆起《りゅうき》があったために、工事はなかなか進みませんでした。おまけに焼けつくような炎熱《えんねつ》と、どしゃぶりの雨になやまされるのですから、その苦労はひと通りではありません。負傷者、病人、狂人《きょうじん》、死者が、なん人も出ました。この地区の主任技師さえ、あまりの難工事のために、神経障害におちいったほどです。けれども、人間の意志と知力と労働力とは、ついに、これらの障害を乗り越《こ》えました。山々の中腹に、幅《はば》九十メートル、長さ十三キロにわたる切り通しを、とうとう掘《ほ》りあげました。あとは、この切り通しに水を流しこみさえすればいいのです。そうすれば、大西洋と太平洋とはつながるのです。

工事中は、ガツン湖の水が流れこまないように、湖水のはしに堤防を築いて、これをせきとめておきましたが、いよいよ、この堤防を爆破《ばくは》して、クレブラの切り通しに水を流しこむことになりました。ここに水が通れば、運河は開通するのです。東西の二つの大洋は、赤道の付近で、握手《あくしゅ》するわけです。これは運河工事の最後のしあげであり、劇的な幕ぎれです。この最後のしあげである堤防の爆破は、アメリカ大統領の手によっておこなわれることになりました。

大統領は、ルーズベルトからタフト、タフトからウィルソンと、この時までに、三代かわっていました。ガツン水門の試験が終わってから二週間あとの、十月十日に、この記念すべき爆破がおこなわれました。この日、ウィルソン大統領は、首府ワシントンのホワイト・ハウスで、邸内《ていない》に装置された電気のスイッチをおしました。電流は、たちまち海底電信局から海底電信局へとリレーされて、南に走り、堤防に装置してある九トンのダイナマイトを爆破させました。ガバーンという大きな音と共に、今まで湖の水をせきとめていた堤防が、一瞬《しゅん》にして、その形を失ってしまいました。白い煙《けむり》がもくもくと空に立ちあがったと見るまに、その煙の下をくぐって、湖の水がどっと切り通しに流れこみました。水は両岸のコンクリートの壁《かべ》に突《つ》きあたって、しぶきをあげ、あわ立ちくるって流れました。無心の水も、二つの大洋が、はじめて結びつくことに、胸をおどらせているかのように見えました。

これは、世界の人々が四百年間も考えていたことです。しかし、四百年間も実現されなかったことです。それが今、まのあたりに実現したのです。現場に立ち合っていた人々の感激は、どんなであったでしょう。

アメリカがこの工事にたずさわってから十年、運河を開くために掘りだした土砂《どしゃ》は三億立方メートル。まことに涙《なみだ》ぐましい努力です。しかし、この結果、密林を横ぎり、山をつらぬいて、八十キロにわたる大運河が、ここに完成したのです。目の前の、両岸にそびえている大きな岩、湖のコンクリートの堤防、水門の鉄トビラ、その一つ、一つが思い出の種でないものはありません。その一つ、一つに、人間の汗《あせ》のしみこんでいないものはありません。

「とうとう大陸のどてっ腹を掘り割って、二つの大洋の水を結びつけてしまったね。」

「人間も力を合わせてやれば、これだけのことができるのだ。自然の姿さえ、変えることができるのだ。」

クレブラ・カットに勇ましく流れこんで行く水をながめながら、人々は語り合いました。

十、開通式の日

翌年の三月、アメリカの上院は、本会議の議場で、ゴーサルズを大佐から一階級とばして、少将に進級させる異動案を承認《しょうにん》しました。アメリカの陸軍では、昔の日本のように、大佐からすぐ少将に進むのではなくて、その中間に準将というものがあるのです。ところが、その準将を飛ばして、ただちに少将に昇進《しょうしん》させたことは、異例のばってきと言われております。もちろん、これと同時に、ゴーガス軍医大佐らも、それぞれ昇級したことは言うまでもありません。

ある新聞の記者は、ゴーサルズが少将に昇進したのを喜んで、「これは少数政治家のやったことではなく、国民の意志である。」という祝辞を寄せましたが、これにたいしてゴーサルズは、こういう意味の返事を書いています。

「あなたが善意を以（もっ）て信じている空想を破ることは、はなはだ不本意でありますけれども、このたびのことは、ある一部の者の策動であります。最もおもしろくないことは、政府の公務にたずさわっている者のみを承認し、同じ工事に働いた民間人は、全部除外されていることです。じつに不公平なやり方です。」

いかにもゴーサルズらしい返事ではありませんか。お祝いのことばにたいして、彼は義憤《ぎふん》を訴《うった》えているのです。実際、同じ職場で働いているのに、一方は官吏《かんり》であり、将校であるがゆえに昇進し、一方は民間人であるがゆえに、恩典にあずからないということは、たしかに公正なやり方ではありません。ゴーサルズの下には、官吏もおれば、将校もおり、民間人もおります。どの人々も、みんな一様に、彼の部下です。そして、官吏も、将校も、民間人も、それぞれに、自分の持ち場で働いているのです。それなのに、民間人だけ、のけ者にされたことは、彼としては我慢ができなかったのでしょう。

さて、クレブラの切り通しに水ははいりましたが、汽船はまだ通るわけにはいきませんでした。それは、またしても、大きな地すべりが起こったからです。このために、修理に手まがかかって、運河の通航ができるようになったのは、一九一四年、八月からでした。

最初に、この運河を通りぬけたのは、パナマ汽船会社の船（八月三日）ですが、これは、いわば試運転的のものなので、公式には、八月十五日の開通式からということになっています。

開通式には、アンコン号という大きな汽船が通りぞめをすることになりました。この通りぞめと同時に、パナマ運河は世界の通商のために開放されることが、高らかに宣言されました。この報道は、アメリカだけでなく、世界を熱狂《ねっきょう》させました。

さて、アンコン号は、運河の従業員、将校、一部のアメリカ人、パナマ共和国の大官、ならびに、その家族たちを乗せて、大西洋がわの港、コロンを出発しました。運河はここから始まるのですが、海の中に突きだしているコンクリートの岸壁のあいだを通り、九キロ前進すると、第一の水門にさしかかります。汽船が水門にはいってからは、船の機関をとめて、両方の岸を走る電気機関車に引っぱってもらうことになっています。これは、船がコンクリートの壁や、鉄のトビラと衝突《しょうとつ》しないように計ったものです。

説明の便宜《べんぎ》のために、ここで、船が太平洋に出るまでの順序をいうと、こうして、第一、第二、第三と、三つの水の階段をのぼって、広いガツン湖に出ます。湖に出ると、船は速力を早めて、四十キロに近い湖面を渡《わた》り、クレブラの切り通しにはいります。それを過ぎると、一つの水門をくだって、約十メートル低いミラフロレスという人造湖に達します。それから、さらに、二つの水門をくだって、海面と同じ水位にさがり、そこを約十二キロほど進めば、太平洋に出るのです。運河をすっかり通りぬけるのに、どのくらいの時間がかかるかというと、わずかに八時間でいいのです。

その日は、土曜日のうえに、開通式なので、非番の人たちは、大ぜい、水門の岩壁の付近に立って、のぼってくるアンコン号を見物していました。南国の強い日ざしは、運河の水面に反射して、きらっ、きらっと、光っています。そのなかを、船は次第《しだい》に進んできます。船の上でやっている音楽は、聞こえたり、聞こえなかったりしますが、へサキにくだける白い波は、ここからでも、はっきり見えました。

「久しぶりだなあ、こんな大きな船を見るのは。」

「おれも、あれに乗ってみてえな。」

「だめだよ。きょうは。えらい人でなくちゃあ、切符《きっぷ》が渡らねえんだから。」

「えらい人ってば、おやじは、あの船だろうな。」

「そうとも、きょうは、開通式だから、主人役だ。」

「すると、きょうだけは、おやじも軍服だろうな。」

「さすがのおやじでも、きょうばかりは、軍服を着るだろうよ。」

労働者たちは、ゴーサルズのうわさをしていました。ゴーサルズはパナマに着いて以来、一度も軍服を着たことがありません。現役の軍人でありながら、いつも背びろを着ていました。最初の歓迎会《かんげい》の席上で、あてこすりを言われたように、ここでは、軍隊式なやり方に反感を持っていることを知っていたからです。もちろん、彼の命令は厳格でしたが、その態度には、したしみがありました。それを、最もはっきり示しているのが、この背びろです。この背びろで働いていることが、どんなに人々の心をやわらげ、人々を調和に導いたかわかりません。各国人いりまじっている三万なん千の従業員を、まるで、ひとりの人のように一致《ち》協力させたこつも、このへんにあるのかもしれません。日曜相談所にしても、じつは背びろの精神の形を変えたものとも言えましょう。

——ある時、本国から陸軍長官が、パナマに視察にきたことがあります。その時にも、ゴーサルズは、あい変わらず背びろでした。長官はおどろいて、彼の姿を見ていましたが、不服そうに言いました。

「貴官が平服でいようとは思わなかった。」

「はい。私は、」と、ゴーサルズは、平気で答えました。「軍服は、こちらでは着ないことにしております。」

「それはいかん。着るようにしてもらいたいね。」

「おことばですが、それはできません。」

「どうして。」

「じつは、軍服は持ってきておりません。」

長官は苦笑した。

「取りよせておくことだね。」

——こんなことがあったことも、いつか従業員たちのあいだに広まっていました。

そして、こういううわさが、ますますゴーサルズの人気を高めていきました。しかし、いくら軍服を着ないゴーサルズでも、きょうは、特別の日です。運河の開通式であり、しかも、その主人役なのですから、きょうは、略服でなく、正装しているにちがいないと、彼らは考えていました。

「おらあ、おやじの軍服すがたが見てえな。」

「おれも見てえと思ってるんだ。それがってよ。おやじは、大学生の時分にゃ、クラスで一番の美男子だったそうだぜ。」

「美男子？　美男子は笑わせやがるな。」

「いや、うそじゃねえ、こいつは将校から聞いた話なんだがね。なんでも、美学とかなんとかいう、しちむずかしい講義の時間だっていうが、先生が、『青春は美である。』ってえような話をしたんだそうだ。」

「ふむ。それがどうしたんだ。」

「ところがよ。その講義が終わると、『ゴーサルズ君、君、ちょっと立ってくれたまえ。』って、その先生が言ったんだそうだ。おやじさん、なんのことだかわからねえが、先生にそう言われたもんだから、立ちあがると、先生は、なみいる学生に向かって、『ここにいま私の言ったよい実例がある。』って、おやじを指さしたってえんだ。どうだい、いい話じゃねえか。」

「なるほど。それが美男子か！」

「青春の美！　きりっとした美しさってわけだな。」

「いや、男のなかの男ってところだね。」

「だからよ、おれは、その男のなかの男が、陸軍少将の軍服を着たところを、早く見てえってんだ。」

「異議なし、異議なし。」

そんな話をしているところへ、アンコン号が、しずかにのぼってきました。音楽隊のかなでる曲が手にとるように聞こえ、もうカンパンの上の人の姿も、見わけられるほどに近づいてきました。

「おやじ、どこにいるかな。」

「きっと、あのブリッジだぜ。あすこをよく見ようよ。」

「なるほど、あすこには、えらい人が集まってるようだな。」

船は水門にはいりました。船のうしろの大きな鉄のトビラが、するするとしまりました。導水管から、さかんに水がそそぎこまれています。

「おい、見つかったか。」

「いいや。」

「どこだろう。」

「どこにいるのかな。」

労働者たちは、重なり合って、汽船の上を見まわしました。

ブリッジも、上カンパンも、盛装《せいそう》した人々でいっぱいでした。そのなかから、白い軍服すがたを、彼《かれ》らは目で追いかけました。

「あれかな。あの向こうを向いてるの……。」

「ちがうよ。あれは海軍じゃねえか。」

みんなが目をサラのようにして、さがしても、男性美の典型といわれたゴーサルズは、見あたりませんでした。

「おかしいな、どうもいないようだぜ。」

「そんなことがあるもんか。きょう、おやじがいねえなんて。」

「だって、見つからねえじゃねえか。」

「すると、きょうも、軍服じゃねえのかな。」

「じゃあ、背びろか、モーニングをさがせよ。」

船は、いつのまにか、電気ロバとあだ名されている、小さい機関車にひかれて、ゆっくりと水門のなかを進んでいます。

船の上では、楽隊がアメリカの国歌をやっています。アメリカの国歌は、両岸の山々にこだまして、二重になって返ってきます。

「おい、いたぞ。いたぞ。」

ひとりが、不意に大きな声でさけびました。

「どこに。どこに。」

「そっちじゃねえ。こっちだ。こっちだ。——おい、みんな。あすこを見ろ、あすこを。」

彼は、汽船のほうとは反対に、水門を直下に見おろす、うしろの山を指さしました。その山の中腹に横たわっているコンクリートの道路に、いつのまにあらわれたのか、黄いろい自動車、あのなつかしい黄いろい自動車が、ぴたっと、とまっていました。

自動車のなかには、まさしくゴーサルズがいました。あい変わらず、白い麻《あさ》の背びろを着ています。彼は二、三人の人といっしょに、水門のほうを見おろしながら、汽船の進行状態を調査しているのでした。

労働者たちは、しばらく、ことばが出ませんでした。やがて、だれかが、ため息をつくように言いました。

「あきれたなあ。おやじは、きょうも働いてるんだなあ!」

十一、あとがき

「運河の開通に際して、私に最も印象の深かったのは、あたかも運河がとうに完成され、すでに長い期間、使用されてきたかのように、一切《さい》のものが整然として、手おちなく動いたことであります。」

これは、アンコン号の招待客のひとりであった、パン・アメリカン連盟の理事長、ジョン・バレットの感想ですが、この感想にあるとおり、当日の開通式は、じつに見ごとなものでした。こうして、アメリカが三億数千万ドルの大金をかけた、二十世紀初頭における世界最大の土木工事はようやく完成し、運河は、世界の通商のために開放されることになりました。最初の一年間に、ここを通った汽船の数は、千二百五十八隻《せき》、はこんだ貨物の総量は、約五百七十万トンでした。

大陸を二つにちょん切って、太平洋の水と大西洋の水を握手《あくしゅ》させる。これを、おとぎ話と考えても相当おもしろいものですが、おとぎ話ではなくて、これを実際にやってのけたのですから、ゴーサルズの人気は、たいしたものでした。だから、彼は、大佐から準将を飛び越《こ》して少将に昇進《しょうしん》し、議会からは、感謝決議文をおくられたくらいです。彼が帰国した時、どんなに歓迎されたか、それをこまかに書く必要はありますまい。ただ、そのうちの一つだけ紹介《しょうかい》しておきましょう。国民地理学協会からは、記念のメダルをおくられましたが、彼はそれをもらった時に、次のような答辞を述べました。

「私は、パナマで働いた三万五千人の人々の、そのひとりびとりにかわって、このメダルをちょうだいいたします。」

ゴーガスの仕事は、じみなものであり、長いこと認められなかったものですが、やがて、運河地帯に蚊《か》がいなくなり、病人がへり、仕事がやりよくなってくると、しだいに彼の行跡（ぎょうせき）を賞賛するものもあらわれてきました。そして、工事が完成したあとでは、パナマ運河は、医者の手で掘《ほ》られたのだ、と言われるほどになりました。

かたい信念をもって、たゆまぬ努力を続けてきたゴーガスの人となりを尊敬するものは、アメリカばかりでなく、海を越えたイギリスにも、たくさんおりました。彼らは、彼の行跡をたたえて、彼に記念のメダルをおくりました。それには、「人類のためにつくした人に」という意味のことばが、きざみこまれていました。イギリス人の考えでは、ゴーガスのような人は、アメリカのためにつくしたというよりは、人類全体のために働いた人として、感謝の意をあらわしたものと思われます。

「文明とは、距離《きょり》の短縮である。」と言われますが、パナマ運河が海路をちぢめたことは、いちじるしいものがあります。ニューヨークからサンフランシスコへ船で行くのには、前には、南アメリカの南端《なんたん》をまわらなければなりませんでしたが、今度は、そんなまわり道をしないでもすみますから、航路が七千なん百海里も短かくなります。また、ニューヨークから横浜への道のりにしても、大西洋からスエズ運河を通ってくるものに比べると、三千数百海里、短縮されます。その結果、汽船の往来はますますはげしくなり、貿易は増大し、文化の交流は目ざましく発達しました。

その反面、これが軍事にも役だつことは、言うまでもありません。アメリカがこの運河の建設に力を入れたのは、もともと、その点をも考えていたからです。第一次世界大戦が起こったのは、開通式のおこなわれた日から、二週間ほど前ですが、当時、アメリカは中立国であったにもかかわらず、運河地帯は戦時体制に切りかえられました。そのご、切り通しにまたまた地すべりがあったり、アメリカも参戦したりしたので、運河の通航は、自由ではありませんでした。いっぱんの商船が通れるようになったのは、一九二〇年以後です。第二次大戦にあたっては、戦前、早くもパナマ運河を通って、大西洋艦隊《かんたい》の大部分が、太平洋に集結しました。戦時中、この運河のはたした役わりは、想像以上に大きなものがあります。うわさによると、大戦後、軍事上の目的から、今の運河の横に、さらに別式の運河を計画しているということです。

「文明は距離の短縮である。」と言うならば、現代では、その代表的なものは飛行機です。しかし、飛行機では、まだ一度に数万トンのものをはこぶことはできませんから、汽船は汽船として、なお、重要な交通機関です。二十世紀のはじめに建設されたパナマ運河のことを語るのは、やや古い感じもしますが、運河には運河の使命があり、この大工事が完成するまでの努力には、今日でも学ぶべきものがあると思います。

ワインスベルクの女たち

西ドイツの南よりの地方にワインスベルクという、ちいさな町があります。この町はずれに、ちょうどスリバチをさかさにしたような小だかい丘《おか》があります。この丘は今は平和なブドウ畑になっていますが、その昔は要害堅固《けんご》なお城だったのです。そしてたびたびはげしい戦争のあったところです。現在では城あとがわずかに残っているだけで、昔のおもかげはほとんどありませんけれども、ところの人はここを貞女城（ていじょじょう）と呼んで、史跡《しせき》の保存につとめています。お城の名まえに貞女城なんて、ずいぶん変わった名まえですが、これにはおもしろい由来があるのです。

今からおよそ八百年ほど前のことです。バイエルンのヴェルフ公はコンラート三世とたたかって負け、このワインスベルクの城に包囲されてしまいました。ヴェルフ公の一族郎党《ろうとう》はこの城にこもって、五週間のあいだ必死に防戦しましたが、なにしろ多勢に無勢のことですから、どうすることもできません。これ以上反抗《はんこう》をつづけたところで意味がないので、城中のものはついに城を明けわたすことにきめました。

そこで軍使を立ててそのことを包囲軍のほうに申し出ましたところ、軍使を迎《むか》えたコンラート王は、いかにも戦勝者らしく、おうようにうなずいて、開城のことを即座《そくざ》に承認《しょうにん》しました。しかし、抵抗《ていこう》をしないうちに城を明けわたしたのなら、城内のもののいのちは助けてやってもよいが、五週間も手ごわくはむかったのですから、どうもゆるしてやる気になれません。王は軍使にこう言いました。

抵抗した男どもはひとりも許すことはできない。ことごとく処刑《しょけい》するが、直接戦闘《せんとう》にたずさわらなかった女たちは、特別の慈悲《じひ》をもっていのちだけは助けてやる。明朝はやく城を立ちのくがいい。ただし、立ちのく際に、

たくさんの荷もつを持って出ることはあいならぬ。ひとりについて袋《ふくろ》を一つだけ許す、それ以上のものを持って出てはならない、ときびしく申しわたしました。

城がたの軍使はそれに対してなんの抗議を申しこむ力もありません。包囲軍のいう通りの条件でひきさがるより、しかたがありませんでした。

さて、よく朝になると、城内の女たちは、袋を一つずつかついで、ぞろぞろ列をつくって出てきました。その袋はどの女も申し合わせたようにほそ長い袋で、どの女もそれを背なかにかついでいました。

包囲軍としては袋を一つとは言いましたが、それは、女がさげて出られる程度のちいさな袋のつもりでした。しょって出るようなそんな大きな袋のつもりではありませんでしたから、しばらくだまって見ておりましたけれども、心のなかではなんという欲ばりな女たちだろうと思いました。それは女のことですから、なんちゃくも着がえのいいしょうがほしいでしょう。宝石もお金も、いろんなものを持って出たいでしょう。しかし、いくらなんでも女ひとりでそんなに持てるものではありません。欲ばるにも程《ほど》があると思いました。ことに長いあいだの防戦で、あの女たちも、もうへとへとになっているのに、重い荷もつをしょって出るという料けんがわかりません。よし、しょって出たって遠くまでかついで行かれるものではありません。いや、遠くまでどころではありません。門を出ると、もうころんでいるものさえあります。

「いったい、あの女たちは何をしょっているのだろう。いくら袋一つずつといったって、あれではあんまり欲ばり過ぎる。」

「一つしらべてみようじゃないか。」

攻囲軍の先頭のものが急に女たちを立ちどまらせて、背なかの袋をおろさせました。そして口のひもをといてみると、彼らは一せいにあっとおどろきました。袋のなかにはいっているものは、着ものでも、化粧品でもありません。どの袋のなかも、多かれ、すくなかれ、どこかに手きずを受けた将士ばかりでした。これは容易ならない問題です。

男はひとりもゆるさない、ことごとく処刑するといったのに、その男をしょって出るとは開城の条件を無視したふるまいです。たとえ、袋を一つずつといったにせよ、それは手まわり品という意味で、断じて人間のことではありません。手ごわく反抗した男たちのことではありません。こんなふつごうな行動をとるなら、女たちもいっしょに殺してしまえ、と先頭の者はまっかになっていきり立ちました。

コンラート三世は注進によって、ただちにそれを知りましたが、かよわい女がひとり、ひとり重い袋をしょって出てくる長い行列を見ると、ずるいやつだとか、憎《にく》いやつだとかいうよりも、何かしみじみとした、一種の感にうたれました。

「いや、捨てておけ。捨てておけ。王のことばに二ごんはない。一度ゆるした以上は、そのままに通してやれ。」

それからしばらくのあいだというもの、大きな麻《あさ》の袋をしょった女たちの行列がつづきました。袋のなかの男はいずれもその夫でした。

海底電線と借金

――まことの実業家、サイラス・ダヴリュー・フィールド――

（この文章は昭和十年ころ書かれたものです。）

モールスが電信器械を発明して、アメリカ合衆国の特許を得たのは、一八三七年、今から百年あまり前の事ですが、今日では世界はほとんどすみずみまで電信網《でんしんもう》に包まれてしまいました。地図を開いてみると、世界のおもな国々、重要な都市をへだてる海洋の底をくぐって、いくつかの海底電線がしっかりとその国々や、都市を結び合わせているのがわかります。もちろん今日では、そののちに発明された無線電信が、電気通信の花がたとなって活躍《かつやく》していますが、しかし毎日われわれが新聞紙で出あう世界各地の通信とか、国際間の商業取り引きや、外交上の報道は、まだかなりこれらの海底電線を通じておこなわれているのです。ですが、今から六、七十年まえまでは、電信はほとんど陸上にかぎられていて、世界地図の上には、今日われわれが見るような海底電線の連絡《れんらく》は、まだ一本もしるされていませんでした。海をへだてた国々のできごとは、いく日かかって大洋をわたってくる汽船を通じて、はじめて互《たが》いに知ることができたのです。いわゆる五大州をわかった大洋を横ぎって、海底電線が敷設《ふせつ》されたのは、大西洋が最初でした。それは一八六六年のことで、アメリカ人サイラス・ダヴリュー・フィールドの事業です。フィールドはいたましい失敗をなん回かくり返したのち、ついに不屈（ふくっ）の意志でこの事業に成功したのです。

一

みなさんはサイラス・フィールドという名まえをご存じですか。たいていの方は知らないだろうと思います。どういうものか、この人の名はあまり日本に伝わっていないようです。しか

し、これはじつに残念なことだと思います。
　フィールドはアメリカの実業家です。実業家というものは世間にたくさんあります
が、多くは名まえばかり実業家で、実際は虚業家（きょぎょうか）といったほうが適当
なくらいです。実業という名にほんとうにあてはまる実業家というものは、残念なが
ら世間には少ししかおりません。ところがフィールドはその少ししかいない人たちの
うちでも、べっして珍《めずら》しい人物です。彼《かれ》はなんども事業に失敗しましたが、失敗して
も、失敗してもまたふるいたって、ついに最後の勝利に達した人です。もちろん、不
屈の精神をもって成功した実業家はなんにんもあります。しかし、ただ多くの富みを
たくわえただけでは、ちっとも偉《えら》い人間ではありません。自分ひとり金をもうけると
いうことは、自然ほかの人を貧乏《びんぼう》にすることです。そんな人間は決して尊敬すべき人
物でもなんでもありません。ここに紹介《しょうかい》するフィールドはただ事業に成功しただけで
はありません。おもしろいのは彼と借金との関係です。

フィールドは少年時代裕福《ゆうふく》な家庭に育ちました。十六の年にニューヨークのある大
商店にはいって商人としての修業《しゅぎょう》をはじめましたが、二十二の時には、もうある男と
共同で一つの商会を経営しました。ところがこの男がほかの事業に失敗したために、
この商会も立ちゆかなくなり、たくさんの負債《ふさい》がフィールドの肩《かた》にかかってきました。

彼は自分のもっていた金をいっさい差しだしてその負債の返済にあてました。おかげで無一文にはなりましたが、借金のほうはそれでまけてもらうことができました。そこでこんどはただひとりで仕事にとりかかりました。彼はまためきめきと成功し、十数年ののち彼がまだ三十五歳《さい》にならないうちに、二十五万ドルの財産をつくってしまいました。そのころの二十五万ドルといえば、今日の百万ドルにも近い金額です。こうして資産ができたのち、彼はいったん実業界から引退しましたが、しかし以前の古い借金の事を決して忘れてはいませんでした。ある日、彼は十年前の債権者（貸し主）一同を招いて、あの時まけてもらった金額になお年七分の利子をそえて、それぞれの債権者にきれいに支払《しはら》いました。十年前一度かたのついた貸借《たいしゃく》を忘れていたのは、むしろ貸し手のほうでした。その上フィールドは、これと同時に、なお自分が金を貸していたなんにんかの人に向かって、その金を返さないでもいい事にしてやりました。

こうして金銭のための仕事からいっさい縁《えん》を切って、それ以後は旅行をしたり、休養したりして、平和な家庭生活を楽しむはずになっていたのですが、元来、活動力にあふれた彼は、とても長くぶらぶらした生活はしていられませんでした。彼はギスボーンという電気技師と知りあいになり、この人から海底電線を敷設する事業を勧《すす》められ、たちまちその仕事に興味をもちはじめたのです。

カナダの東海岸、大西洋に面するところにニュー・ブランスウィックという所があります。その沖《おき》あい三百マイルばかり離《はな》れてニューファウンドランド島がある。その島のセント・ジョーンズという町からこのニュー・ブランスウィックへ、ニュー・ブランスウィックからアメリカ合衆国へ、あるところでは陸地を通り、あるところでは海を渡《わた》って、長い電線を架設《かせつ》しようというのが、ギスボーンの計画でした。彼は一つの会社をたてて、この仕事に取りかかったのでしたが、三、四十マイルばかり電線をしいただけで資金が切れてしまいました。それでフィールドの援助《えんじょ》を求めてきたのでした。フィールドはこの計画を聞いて、それが実行のできる案であることをすぐに確信しました。

ある日、訪ねてきたギスボーンがそのホテルに帰っていったのち、フィールドは自分の書斎《しょさい》で大きな地球儀《ちきゅうぎ》をつかって、いろいろ研究していました。彼はアメリカ合衆国の東海岸をながめ、ニューファウンドランドに目を転じ、それから英帝国《えいていこく》のアイルランドに目を移しました。その距離《きょり》は地球儀の上ではたいへん短いものに思われました。彼はふと一つの事に思いあたりました、——もしニューファウンドランドとアメリカ合衆国とを連絡することができるなら、ニューファウンドランドとアイルランドとを結びつけることだってできるはずだ。そうすれば大西洋を横断して電信の連絡がつくられるわけではないかと。この思いつきは、かれ自身にも意外なことでした。これほどの大事業が、まだだれにも気づかれずに自分の前にある。今までただ大西洋の波を越《こ》えて渡ってくる汽船のほかに、交通の道のなかった二つの大陸が、ひとたびこの海底電線が敷設されたあかつきには、一瞬《しゅん》のあいだにお互《たが》いの意思を通ずることができるようになるのだ。よし、おれの手でこの事業をなしとげてみよう。

二

しかしフィールドは、この思いつきだけですぐに事業に飛びついてゆくことはしませんでした。彼は地理学者のモーリー教授と電信機の発明者モールスとにあてて手がみを書き、実行方法について問い合わせ、なお自分の周囲の人々の意見をきいて、いよいよその確信ができたところで仕事に取りかかりました。ちいさいが、しかし資金のゆたかな一つの会社がそのために創立されました。協同者のひとりにトムソンという技師がいて、技術のほうはこの人の担当《たんとう》でした。フィールドはこうして、いったん着手した以上はどんなさまたげに出あってもやりとげる決心でした。こんな大胆《だいたん》な事業がはたして成功するであろうか、不安に思った多くの人々がフィールドに向かって、

「その電線が切れて海底に沈《しず》んでしまったら、あなたは一体どうするつもりなのです。」というと、彼は快活に「それはそのまま損益勘定《かんじよう》にくり入れて、もう一度かけ直すばかりです。」と答えました。

イギリスに注文して電線はできあがりました。七本の銅線をよりあわせたものを、グッタペルカというゴム状の物質とコールタールをぬった布とで包んだ延長二千マイル余の電線です。彼のたてた計画では、アメリカの汽船「ナイアガラ号」がアイルランドを出発して、電線を海底に敷設しながらニューファウンドランドに向かい、ちょうど大西洋のまんなかでイギリス船「アガメムノン号」に出あう、そこで電線を接続して、今度は「アガメムノン号」がそこからニューファウンドランドまで敷設するということになっていました。

「ナイアガラ号」がアイルランドのヴァレンシア港を出発する時には、たいへんな騒《さわ》ぎでした。おおぜいの人々がこの光景を見ようとして、朝から海岸に集まりました。「この電線が通じればききんの時すぐアメリカから穀物がとどくというわけだ。ありがたいことさ。」とさけぶものがあります。「わしのむす子がアメリカに行っているが、孫が生まれたら、今度は電報で知らせてもらえるだろう。」というものもあります。

いよいよ船から電線の一方のはじが陸に引きあげられることになると、人々はそこに押《お》しかけて、争ってその引きあげを手つだいました。電線をにぎったおかげで手がコールタールでまっ黒になった人々は、得意になってそのよごれた手を皆《みな》に見せてまわりました。

電線はしっかりと海岸に結びつけられました。教会の牧師が祈《いの》りをあげ、それがすむと人々はアメリカ合衆国の万歳《ばんざい》をさけびました。つづいて「イギリス女王陛下万歳」、「アメリカ大統領万歳」、「サイラス・フィールド君万歳」。フィールドはこの熱《ねっ》狂《きょう》した人々に向かって言いました。

「皆さん、皆さんのご好意に対してわたしはなんと申していいかわかりません。将来みなさんのなかのだれかがアメリカにこられましたなら、わたしを訪ねて、きょうこの仕事に手を貸した者だと名のってください。わたしばかりではありません、アメリカじゅうの者がそのかたを心から歓迎《かんげい》いたしましょう。」

ほえるような汽笛が鳴り渡りました。「ナイアガラ号」は静かに港の口へ向かって動き始めました。海岸に集まった人々はなお一そう声をあげ手を振《ふ》ってこれを送りました。船は徐々《じょじょ》に電線をくりだしながら進んでゆきます。その姿が見えなくなるまで、海岸の群衆は散りませんでした。

三

四日間、作業は無事に進んでゆきました。海底電線は予定した通り大西洋の底を、東から西へ次第《しだい》にはってゆきました。ところが五日めのこと、突然《とつぜん》電線が切れてしまいました。人間の手からすべり落ちた電線は、そのまま深い海底に沈んでいって、もはや手のほどこしようもありませんでした。

フィールドも、乗り組員のだれも彼も、いよいよいけないとわかった時には、しばらくことばも出ないほどがっかりしました。このために投じた巨大《きょだい》な費用、今までの苦心、世間の人々の大きな期待、それが一瞬のあいだに水のあわとなってしまったのです。だがフィールドは万一失敗した場あいの事も考えていなかったわけではありません。多くの人々からそれを注意されてもいたのです。彼はいったんイギリスへ船をひき返すと、すぐ再挙の計画をたててアメリカに向かって帰っていきました。

それは一八五七年のことでした。ところが一八五七年はアメリカの経済界にはげしい不景気が見まった年です。もう一度準備を整えてこの事業をやりとげようと勇んで帰ってきたフィールドが、上陸してすぐ耳にしたことはこの不景気でした。彼の商会も破産したという知らせでした。彼はすぐに破産したその商会のあと始末に没頭《ぼっとう》しなければなりませんでした。例によって彼はいっさいの借金を自分で引き受け、貸し主に対して男らしく責任をおいました。そして二年後、その負債を一銭も残さず、きれいに返してしまいました。

しかし、こういう負債のあと始末にわずらわされながら、彼はなお大西洋横断海底電線の事業を続けてゆきました。最初の失敗のために生じた損は五十万ドルでしたけれど、彼はすぐ次の資金を集めにかかり、翌年ふたたび作業にとりかかったのです。東西船は前と同じ船でしたが、今度は二つの船が大西洋のまんなかを出発点として、東西に向かって同時に海底電線を敷設してゆく計画でした。だが、またもや電線は中途《ちゅうと》で切れてしまいました。

それでも彼は屈しませんでした。海岸に寄せてくるおお波が、砕《くだ》けても砕けてもあとからおし寄せるように、彼は失敗するとすぐまた次の計画に飛びかかり、ふたたび元気に最初の目的に向かっておし寄せてゆきました。第三回めに、とうとう作業は成功しました。電線は、大西洋二千マイルのあら波の下をくぐって、ついにアメリカ大陸とイギリスとをむすびつけたのです。

アメリカ全国はわれかえるような騒ぎでした。ちいさな村々まで、教会の鐘《かね》を鳴らし、祝砲《しゅくほう》をうち、学校も休みにして、この成功を祝いました。「海底電線ができた。」「海底電線ができた。」「大西洋はとうとう横断された。」イギリスのヴィクトリア女皇はアメリカの大統領に祝電を打ち、大統領は女皇にお礼の電報を発しました。ニューヨーク市は、ことにおお騒ぎでした。この成功を祝ってまちにはイルミネーションがかがやき、行列がねりまわり、宴会《えんかい》が開かれました。はな火がうちあげられ、タイマツ行進がおこなわれました。有名な詩人が詩を作ってフィールドをたたえたばかりではありません。数しれない祝電が、あとからあとから、フィールドのもとにとどいて、彼の机の上に積みあげられました。その電報のなかには、むろん彼の手ではじめて架設された海底電線を通ってきたものも、すくなくなかったのです。

――だがこの喜びのまだ終わらないうちに、海底電信はぴたりととだえてしまいました。電線はまた切れてしまったのです。

四

これで三回の失敗です。しかしフィールドはまだかさなるいたでに降参しませんでした。よしもう一度。今度こそ成功だ。彼が歯を食いしばって第四回めのくわだてに取りかかった時、アメリカには今にも南北戦争が起ころうとしていました。経済界はまたも大恐慌《だいきょうこう》です。多くの商会がつぎつぎに破産しました。店を閉じる銀行が続々とあらわれました。フィールドの商会もそのなかにまきこまれて破産しました。フィールドは三度めの負債整理をやらなければならなくなりました。

今度こそさすがのフィールドも、金ばかりではなく、自分のもっているものは何もかも、洗いざらい差しださねばなりませんでした。彼《かれ》は大切な両親の肖像画《しょうぞうが》や、教会にあずけてあった自分のイスまで売りはらって、借財の返済にあてました。彼は財産といわれるものは一つももたない、まったくの無一物になってしまったのです。

だが、フィールドはほんとうに何ひとつもたぬあわれな貧乏人でしたろうか。いや、彼はまだ失っていないものがあります。彼には希望があります。かさなる不幸のなかにあって彼の心を明かるく照らす希望を、彼は決して失っていませんでした。そればかりではありません。たとえ、たびたびたくさんの借金をおい、破産にあったことさえ二度三度であったとはいえ、彼はまだ世間の人々の深い信用を失ってはいませんでした。彼は今まで自分の責任をまぬかれようなどとした事は一度もなかったし、自分の借財の始末は、いつも誠実な、男らしい態度で片づけてきました。事業そのものについても、彼は数度の失敗のおかげで、実際にやった事のある者でなければ知る事のできない多くの経験を積んできています。彼は仕事に対する自信をもっていました。普通《ふつう》の者であったなら、気力も体力もくじけてしまいそうな打撃《だげき》を受けながら、彼は人に向かってこう言いました――「正直のところ、ぼくは今までに、これほどこの事業の成功を信じていた事はなかったよ。」

彼は自分ではそうかたく信じて疑わなかったのですが、三度の失敗を見た世間の人々は、その通りこの事業の成功を信じはしませんでした。それで今度は、資金を集めることがなかなか困難でした。しかしフィールドの熱意は、どうやら必要な資金を集めることに成功しました。いよいよ四回めの試みです。前回の失敗をよく研究した結果、今度は鋼鉄の線を特別にイギリスに注文して作りました。その上に、そのころ世界最大であった「グレート・イースターン号」という汽船が、この作業をやることになりました。「今度こそ」――フィールドも、世間の人々も、みな「今度こそ」と望みをかけました。

船は例によってしだいしだいに電線をくりだしながら、大西洋を進んでゆきました。ふとい電線が、船の進むのにつれて、深い波の底にのまれてゆくのを、フィールドは喜びとも不安ともいえない気もちで見つめていました。「よし。これでよし。」作業はとどこおりなくなめらかに進んで行くように思われました。その時――異様な音がして、電線がぴんと張りました。

「あぶない。船をとめろ。」人々がさけびました。船はとまりました。フィールドを始め多くの人々が、電線を敷設する機械のまわりに集まってみると、機械はこわれていました。手をつくしても修繕《しゅうぜん》はききませんでした。――第四回めも、ついに失敗に終わったのです。

五

商会の株主はこの失敗の知らせを聞いて集まりました。いろいろ議論は出ましたが、とにかくこのままやめることはできない、翌年の夏もう一度やってみようということになりました。同時に今まで海底に沈めてしまった電線の引きあげもやることにきまりました。その知らせを聞いて、フィールドはイギリスから帰ってきました。その船中で船客たちは、フィールドが乗船していると聞いて、さぞ彼は失望していることであろう、おりもあらば同情のことばをのべたいと思いました。しかしいつ会ってもフィールドは元気で快活でした。いや、船中で一番はればれした顔をしている人こそフィールドでした。

「お気のどくなことでしたな。まあ、しかしあれだけのお仕事をなさったんですから。」ある船客がこういってなぐさめようとすると、彼は涼《すず》しい目をその人に向けて答えました——「いや、わたしたちにはいい経験でした。おかげでたいへんたくさんの知識を得ました。来年の夏にはまちがいなく成功いたします。」

翌一八六六年の夏、グレート・イースターン号はふたたび電線を海に沈めながら、大西洋を渡《わた》りました。海上もおだやかでした。作業もレールの上を走るようになめらかに進みました。今度こそなんのさわりもなく、二千マイルの電線は一方のはしをイギリスに、一方のはしをアメリカに、しっかりとその海岸にむすびつけて、深い海底に安らかに横たわりました。引きあげ作業のほうも成功でした。前年海中に捨てた大量の電線が、無事に船に引きあげられました。すぐ電信機がとりつけられ、電信技手は、ふるえる手さきでアメリカに電報を打ちました。

「ボース・オー・ケー」(両方とも成功)

フィールドはこの電報を本国に向かって打たせると、もうその場に立っていられませんでした。電報の打ち終わるのを見ると、すぐ自分の船室に駆《か》けこみました。そして錠《じょう》をおろしました。もうだれも見る人もないとなると、彼は子どものように声をあげて泣きました。四度の失敗、二回の破産、それを通り抜《ぬ》けてきた十年間の苦心、十年間の不断の努力、何もかも投げだして、ただ一つそれだけを目ざしてきた目的が、いま達せられたのだ、今度こそまちがいもなく成功したのだ。彼は自分のからだも消えてゆくような思いでした。うれしさが胸にいっぱいで、ただ涙《なみだ》ばかりがとめどなくあふれてきました。

大西洋横断の電線が成功したという知らせとともに、たちまちまた祝電のあらしでした。イギリスからアメリカへ、アメリカからイギリスへ、あいさつの電報が絶えまなく続きました。祝宴が開かれ、まちには群衆があふれました。アメリカの議院はフィールドに金メダルをおくり、アメリカ全国民にかわって感謝をのべました。

このわきかえるようなさわぎのなかで、当のフィールドは何をしていたでしょうか。彼は古い計算帳を引きだして、しきりに計算をやっていました。そしてアメリカに帰るやいなや、六年まえ破産したとき未払《みはら》いになっていた借財に、年七分の利子をつけ、丁寧《ていねい》なあいさつとともに、債権者《さいけんしゃ》に返したのでした。

スコットの南極探検

明年（一九五七年）七月から、国際地球観測年がはじまることになっている。その準備のために、各国は、昨年末から本年のはじめにかけて、大がかりな学術探検隊を乗せた船を南極地方へ送りだした。こんどの地球観測は南極地方を中心としておこなわれるもののようである。南極には、まだ解明されない多くのなぞが秘められているからであろう。

しかし、南極探検の歴史は、相当に古いのである。すでに、十六世紀の末から南方海上を探検したものがあり、一七七四年にはイギリス人ジェームス・クックが南極大陸に接近しているのである。そのご、しばしば多くの探検がおこなわれたが、その最もさかんであったのは、一九一〇年から一九一二年にかけてであった。イギリスのロバート・スコット大佐の二回にわたる探検、ノールウェイのロアルド・アムンゼンの探検、わが日本の白瀬中尉（しらせ・ちゅうい）の探検がおこなわれたのはこの時であった。

そして、このうち、極地に国旗を立てることに成功したものは、アムンゼンと、スコットとであった。

一九一〇年十一月二十九日、第一回の探検で失敗した経験を利用してあらたに十分の準備をととのえたロバート・スコットは、ニュー・ジーランドをふな出して第二回の探検に向かった。船の名はテラ・ノヴァ号。

一カ年と三カ月の非常な忍苦《にんく》の結果、一九一二年一月十七日、スコットの一行は地球の最も南端《なんたん》の極地にはじめて踏《ふ》みこもうとしていた。かれらは勇躍《ゆうやく》、用意の国旗のひもをといて、行く手をいそいだ。その時、中尉バウワースの、するどい目が、はるか前方に一つの黒点を見つけだした。雪、雪、雪、その外には何ものもないはずである。その黒い一点は雪がつくるかげでないことはたしかであった。一行はなんともいえぬ不安な気もちにおそわれた。行きついてみると、それは乗りすてられたソリにむすびつけられたノールウェイの国旗であった。あたり一面にソリのあと、スキーのあと、犬の足あとが縦横に残っていた。アムンゼンがみごとに極地を征服《せいふく》して帰ったことがわかった。最初の南極征服者になろうとして十二年間たたかったスコットの労苦は無残にうちくだかれてしまった。一行五人は、色あせた一本の旗を前にしてしばらくは口もきけなかった。

しかし、アムンゼンとノールウェイの光輝《こうき》のために、荒涼《こうりょう》たる極地にひるがえっている国旗に手をふれて、これを引きたおすようなことをするものはひとりもなかった。この旗を立てた人たちも、自分たちと同じ寒さ、同じ苦しみをたえしのんできたのだ。喜びにふるえる手でこの旗をおし立てた時の心もちはどんなであったろう。——五人は静かにかしらをたれて立っていた。その姿には自分たちをうちまかした勝利者に対する無限の敬意がこもっていたにちがいない。やがてかれらは雪を積みかさねて、ささやかな記念塔《きねんとう》を築き、今は光のうすれたイギリス国旗をその上につき立てて、あこがれの極地

に別れをつげた。アムンゼンの南極征服におくれること三十四日であった。

帰りの旅はいっそう困難であった。くるとき残してきたソリやスキーのあとは、ともすると、風に吹《ふ》きつけられた雪のために消されているので、方向をあやまらぬ注意が、たえず、必要だった。それに無理な長たびが次第《しだい》にからだをつからせはじめた。海軍兵曹（へいそう）イーヴァンスがおくれだした。隊にいた時は不死身の大尉といわれ、自分もそれを自慢《じまん》にしていたほどのオーツが、かぜをひいた上に、足をいためた。みんなスキーをつけてソリをひいて歩くのである。日に日に道ははかどらなくなった。こんなことで、食料や燃料がなくならぬうちに根拠地《こんきよち》まで帰れるだろうか。隊長のスコットはひそかに心配しはじめた。じつは五人とも顔にえみをうかべて励《はげ》ましあいながら、心のなかでは心配でたまらなかったのである。食料と燃料とを調べてみると、どうしても一日に九マイルずつ歩かなければならなかった。これぐらいの道のりは普通《ふつう》の陸地でならなんでもない。しかし、深い雪のなかを氷の針のような風にさされながらソリをひきずって、スキーをはいた重い足で、一歩々々たどって行くのだ。しかも天候は日ましに悪くなってくる。

イーヴァンス兵曹のおくれ方がひどくなった。雪の吹《ふ》きだまりへ、たおれこんだとき、起きあがるのがだんだんむずかしくなってきた。ある日、とうとう、かれの姿が見えなくなった。一行はおどろいてさがしに帰った。かれは雪の上にひざをつき、目を異様に光らして前方をにらんでいた。そしてたすけ起こされると、すぐにまたころんだ。スコットもほかの人たちももうイーヴァンスが助からないことをよく知っていた。かれをすてて行けば、これ以上天候の悪くならないうちに次の貯蔵所へ行きつけることもわかっていた。しかし、かれらはイーヴァンスをほうりだすようなことはしなかった。おしたり引いたり励ましたりして、かれをいっしょにつれて行った。むろん歩みはいよいよにぶった。食料と燃料とはますます不足をつげた。けれども、ついにイーヴァンスが息たえた時にも、かれらは死体をねんごろに雪の墓場に葬《ほうむ》って、心をこめた祈《いの》りをたむけることをわすれなかった。

ひとりのなかまを極地の雪にうばわれた四人は、ふたたび出発した。空は非常に険悪で、大ふぶきがきそうな模様になった。そこへ、今度は不死身のオーツがちんばをひきはじめた。スコット大佐をはじめ、ウィルソン博士もバウワース中尉も、じつはこれまでいく日かのあいだオーツのようすに注意していたのであった。かれの顔には気味のわるい白いはん点があらわれていた。寒さにかまれたあとである。手も足も自由がきかなくなっていた。その上、はげしい空腹になやまされていた。食事はもとより十分ではなかった。さすがのオーツも言いだした。

「やすませておいてくれ、あとから行くから。」

三人はあたまをふって、かれをかれらのあいだにしっかりとはさんで歩きつづけた。この、はてしない雪の上に一度よこになったら、眠《ねむ》りっきりに眠ってしまうことがわかっていたからである。腹のへりきった四人の足は遅々《ちち》として進まなかった。

大ふぶきがやってきた。次の貯蔵所まではまだだいぶ遠い。四人はテントを張ってふぶきを避《さ》けた。

テントを張る仕事に皆《みな》くたくたにつかれきった。かれらは、とぼしい食事をとると、荒《あ》れくるうふぶきがテントをゆするのを気にしながらも、すぐにスリーピング・バッグのなかへもぐりこんだ。スリーピング・バッグというのは、極地旅行者がすっぽりからだごとはいりこんで眠る、状ぶくろのような皮製のふくろである。

自分のバッグへはいりながら、「ぼくはもうこのまま目をさましたくないな。」と言ってさみしく笑って見せるオーツに、だれも答えることができなかった。深く死を覚《かく》悟《ご》しているオーツのこころが、他の三人の胸にせまった。

しばらくしてスコットがつぶやいた。

「あしたは、風が、やんでくれるといいが……」

あとは無言で四人とも目をとじた。

オーツのほかの三人は風の音で朝までにいくどか目をさました。たがいのようすでそれとなくあい手の目をさましていることがわかった。

スコットが、ひくい声で言った。

「オーツはよく眠っているようだな。」

「うん。」

短い返事をだれかがした。

みんな、寝《ね》しなにオーツの言ったことばの意味を考えていたのであろう。

朝になると、目をさましたくないと言ったオーツもやっぱり起きた。

あい変わらずひどいふぶきがうずまいていた。

朝めしのしたくにかかろうとする時だった。オーツが、テントの支柱につかまるようにして立ちあがった。

「ちょっとそとへ出てくる。少しひまがかかるかも知れない。」

すわっている三人の目が同時にオーツの顔に向けられた。オーツはあぶなげな足どりで出ぐちのほうへ歩きかけた。スコットがたまりかねて声をかけた。

「どこへ行く、このふぶきに。」

オーツはふりかえった。ウィルソンもバウワースもじっとオーツの姿を見ていた。

立っているひとりの目がすわっている三人の目とぴったり向きあった。どの目もうるんでいた。目と目が今にも焼きつくかと思われた。

その時、オーツの顔が少しゆるんだ。

「用をたしてきたいのだ。」

バウワース中尉が言下に答えた。

「ここでやれ、ちっともかまわん。」

オーツは苦笑したが、そのままテントのすそをくぐって出て行った。

スコットとバウワースは思わず立ちあがった。だが、立ちあがっただけでその場から動けなかった。ウィルソン博士は祈ってでもいるように黙《だま》ってうつ向いていた。

風がひときわはげしくテントをゆすって吹きすぎた。

オーツがこのさき手あしまといになりたくないと思って、死ぬために出て行ったのだということは三人とも知っていた。むろん、とめなければならない。とめたいのだ。しかも、今の自分たちにはとめることができない。三人は泣くことさえできなかった。

はたして、それっきり、オーツはテントへ帰ってこなかった。かれらは二度と不死身のオーツの姿を見ることができなかった。

隊長スコットの日記には、このできごとをしるしたあとに、こう書きたしてある。

「かれのおこないは勇気のある、イギリス紳士《しんし》らしいやりかただ。われわれもかれと同じ精神で最後をむかえたいと思う。われわれの最後ももうまがないにちがいない。」

ふぶきは九日のあいだ荒れくるった。

スコットの日記は次のように終わっている。

「われわれは毎日、十一マイルさきの次の貯蔵所へ向かって出発しようと思いながら、それができないでいる。大ふぶきがすさまじく吹きあれているからである。今は万策《ばんさく》つきたように思われる。この日記は最後までつづけたいと思う。しかし、もう力がない……残念だがもう書けない。」

名まえが書いてある次に、走りがきで、こう書き加えてある。

「部下や部下の遺族をよろしくたのむ。」

かれらの死体は八カ月ののちに救援隊《きゅうえんたい》の手で発見された。ウィルソンとバウワースは、スリーピング・バッグをあたままでかぶって死んでいた。たぶん寒さをしのぐためだったのであろう。バッグをのけて見ると、やすらかな、夢でもみているような顔をしていたという。スコットは、自分のバッグの顔おおいをはねのけ、ガイトウの胸をひらいていた。かれの片腕《かたうで》は、ウィルソンの胸の上に投げかけられ、手帳をいれた大型の紙入れは、肩《かた》の下にあった。スコットが祖国へ持ち帰るはずであった地質学の標本はソリの上にのせられていた。

スコットがイギリス国民にあてた書きおきが一通みつけだされた。その手がみには次のようなことばがあった。

「……死なずにすんだなら、わたしは、こんどのくわだての困難、隊員の忍耐《にんたい》と勇気などについて、諸君にお話しするところでした。これを聞いたなら、どんなイギリス人でも心をうたれない人はあるまいと信じます。……」

キティの一生

キティ・シーワードは、子どもの時に、つめたい世間へほうりだされました。身よりもない、みなし子だったからです。気の弱い子だったら、生きて行くこともできなかったでしょう。どうにかしておとなになったとしても、ひょっとしたら、不良のなかまに引っぱりこまれていたかもしれません。しかし、キティは、そんな女ではありませんでした。かの女(じょ)は人間として、立派な一生を送りました。かの女の名は、多くの人々のあいだで、今でも語りつたえられています。

それなら、キティ・シーワードは、キューリー夫人のような、えらい学者になったのでしょうか。いいえ、死ぬまで無学で、貧乏《びんぼう》な女に過ぎませんでした。では、フランスのジャンヌ・ダルクのように、祖国のために、すばらしい戦功を立てたのでしょうか。いいえ、ただの裏なが屋のおかみさんとして、ごみごみした町の中で、一生を終わっただけです。いったい、それなら、この無学で貧乏な、裏なが屋のおかみさんが、どうして死んだあとまで、多くの人々にしたわれるのでしょう。

キティは、イギリスのランカシア州の生まれでした。前にも言ったように、早く両親にわかれたので、小さい時から、それは、それは、ひどい苦労をかさねました。はじめは、子もりをしたり、女工になったりして、どうにか自分の口をうるおしてきました。しかし、かの女はどこへ行っても、実直に働いたので、人からかわいがられました。年がいくに従って、給金も少しはあがり、貯金もいくらかできるようになりました。こうして、かの女はおとなになったのです。

一人まえになったかの女は、ある船員と結婚《けっこん》しました。やがてかの女は、ふたりのむす子の母おやになりました。しかし、この楽しい生活も長くは続きませんでした。夫が波にさらわれて、死んでしまったからです。

かの女は泣く泣く、夫の葬式《そうしき》をすませました。それからというものは、女の細うで一本で、子どもふたりを育てなければなりませんでした。しかも、長男は生まれながらの病身だったので、その看病をしてやるだけでも、ひと通りの苦労ではありませんでした。十四、五年もの長いあいだ、かの女は、勤めに出る前、勤めから帰ったあと、一日も休むことなく、病気の子どもの看護をしました。そんなに心をつくして看病したのですけれども、病気はちっともよくなりません。長男の容体は、日ましにわるくなっていくばかりです。しまいには、節々が痛んで、ベッドにからだをつけて寝《ね》ていられないようになりました。そのころ、キティはクギの製造工場へかよっていたのですが、毎日、鉄クギをこしらえているために、手にはまめがたえません。かの女は、そのまめだらけの手を病人の背なかへまわし、夜っぴて、むす子のからだを、じっとささえていてやりました。だが、こんなにまで心をこめて看病してやったかいもなく、長男は、とうとう死んでしまいました。

かの女は力を落としました。けれども、働かないでは、その日をすごすことができません。かの女は次男の成長を楽しみに、また、精をだして働きました。それればかりではありません。長男をなくしたあとで、かの女は、

みよりのない、目くらの女を、自分の貧しい屋根の下に引き取って、七年間も世話してやりました。

そのご、キティはリヴァプール市へ移り、テニソン街という、暗い裏まちに住むようになりました。この時分には、次男も工場へ出て、働ける年齢《ねんれい》になっていました。ところが、かの女はどこまで不幸なのか、まもなく、その二番めのむす子にも、死なれてしまいました。

さきには、夫を失い、引き続いて、ふたりの愛児を失ったキティの心もちは、どんなだったでしょう。かの女は今まで、多くの苦しみにもたえてきました。しかし、今度という今度は、さすがのキティもすっかり気力を失ってしまって、いっそ、死んでしまいたい、と思ったくらいでした。

けれども、自分に悲しい事があるからといって、つらい事があるからといって、自分で自分のいのちを断《た》つというのは、人の道にそむくことです。たとい、どんなに苦しくとも、生まれてきた以上、人間は働かなければいけない。それが人間の務めなのだ。いくたびも思いわずらったあと、キティは、やっと、こういう考えを持つようになりました。

それに、自分の周囲を見まわすと、自分よりも気の毒な人たちが、大ぜいいました。

かの女には、それが、今までよりも、もっとはっきり、見えてきました。身よりもなしに育ったキティは、数々の苦しみをなめてきましたが、それだけに、苦しんでいる人への思いやりは、ほかの人よりもずっと深いものがありました。かの女は、これらの人たちのことを思い、そういう人たちのために、いくらかでも役に立ちたいと考えました。

リヴァプールはイギリスの有名な港ですが、人口の多いことでも、また、有名な都会です。そういう大都市であるだけに、貧しい人々もたくさんいました。そういう人たちは、テニソン街というような、空気のわるい、ごみごみしたまちの、せまい、日のあたらない家でくらしていました。ですから、キティのまわりにいる人たちは、たいていは、不幸な人たちばかりでした。

かの女の家の近くに、とりわけ、気の毒な家族がいました。そこの主人は、子どもが三人もあるのに、おかみさんには先だたれ、自分もまた、死病にとりつかれているのでした。キティは仕事のひまを見ては、この病人の看護と、子どもの世話をしてやりました。そして、病人が死んでからは、残された子どもたちを、三人ともそっくり、自分のうちにひき取って、養いました。自分がおさなかった時のことを思うと、かの女は、そうしないではいられなかったのです。

この子どもたちは、朝、目をさますと、キティのことを「おかあさん。」とよびました。キティもまた、「はい。」と返事をしました。世の中に、「おかあさん。」ということばより、もっといいことばがあるでしょうか。こんなやさしい、いいことばがあるのに、キティは一生、このことばを使うことができませんでした。かの女が「おかあさん。」ということばを知った時には、「はい。」と返事をしてくれるおかあさんは、もう、いなかったのです。そういう悲しい思いをしているだけに、この三人のみなし子が、「おかあさん。」と言って、寄りそってくると、かの女はいじらしくっていじらしくってたまりませんでした。

そのころ、かの女は織り物の工場へかよっていました。織った布につやをつける機械をまわすのが、かの女の仕事でした。そうやってかせいだ金で、キティは三人の子どもたちといっしょに、くらしていました。

かの女の生活はらくではありませんけれども、生活のためにおしつぶされるというようなことはありませんでした。かの女はいつも元気に働いていました。くったくのないかの女は、働きながら、よく歌を口ずさむことがありました。

その日も、かの女は自分のうちの台どころで、いつものように歌をうたいながら、せんたくをしていました。子どもの時分、ランカシアで覚えた歌をうたっていたのです。

すると、おもてを通りかかった人の足おとが、急にぴたっと、とまりました。その人は立ちどまったまま動かないらしいので、キティは窓からひょいと顔をだしました。目と目がかち合いました。四つの目がひとりでに微笑《びしょう》をたたえました。ふたりは、あまりの思いがけなさに、しばらくは、ことばも出ませんでした。今は、両方とも、かなりの年になっていましたが、ふたりは子どもの時分の友だちだったのです。

この人は、トマス・ウィルキンソンといって、やはりランカシア生まれの職工でした。なんの気なしに往来を歩いていると、自分も子どものころ歌ったランカシアの歌が聞こえてきたものですから、なつかしさのあまり、つい、立ちどまったわけです。昔ふたりは子ども時代のことや、おたがいの不幸な身の上ばなしを語り合いました。なじみだというだけでなく、ふたりは生活も、境遇《きょうぐう》も似かよっていましたから、よく話が合いました。

ランカシアの歌が橋わたしとなって、キティとトマスとは、だんだん近しくなりました。やがて、ふたりは正式に結婚しました。そこで、キティ・シーワードは、キティ・ウィルキンソンと姓《せい》を改めました。

トマスは気だてのやさしい人で、キティのうちにいる三人のみなし子を、よくかわいがりました。三人の子どもは、おかあさんだけでなく、今度は、おとうさんを持つことができました。

トマスは、一週一ポンドたらずの賃銀しか取れませんでした。全く、わずかな収入ですが、それでもキティの収入にくらべたら、たいした金でした。しかし、それで気をゆるすようなことはなく、キティもこれまで通り働きました。一家は久しぶりで明かるくなりました。

一八三二年、リヴァプールに、おそろしい勢いで、コレラが流行しました。

今日では、伝染病《でんせんびょう》の出た家には、すぐ役所の人がきて、どしどし消毒をしたり、患《かん》者《じゃ》を病院に移したりしますが、これは百二十なん年も前のことですから、イギリスのような国でも、まだ衛生思想も、予防の施設《しせつ》も、至って不十分でした。ですから、患者はふえるばかりで、毎日、おびただしい人が死んで行きました。ことに、ごみごみした細民街では、死亡者がわけても多うございました。

こういう時には、患者の使ったふとんや衣類などは、焼きすてるのがいいのですけれども、貧しい家庭では、とてもそんなことはできません。目の前に死亡者がどんどん出ているにもかかわらず、病人の使ったものだからといって、それを焼きすてるなどということは、この区域に住まっている人たちの経済がゆるさないのです。彼《かれ》らは、それをまた、せんたくして使わなければなりません。こまったのは、そういうせんたく物の始末でした。

　そこで、キティは、自分のうちの台どころとうら庭を、せんたく場に提供しました。手のたりない家に患者が出ると、その家のせんたく物は、キティがひき受けて、洗ってやりました。気味の悪い病菌《びょうきん》のついたふとんや寝まきが、あとから、あとから、かつぎこまれてきます。かの女はそれに熱湯をそそいで、ごしごし洗っていきました。キティの仕事は、全くいのちがけです。しかし、かの女は、貧しい人、なやんでいる人のために働くことが、自分のつとめだと考えていたので、おそれずに、せんたくを続けました。今日から見ると、じつに危険至極《しごく》なことですが、よく伝染しなかったものです。

　キティの、このけなげな働きに感動して、やがて、かの女の手つだいをする人たちも出てきました。また、寄付金を集めて、その金で、キティの住んでいる家の、地下室の物おきを、せんたく場に改造してくれる人も出てきました。

　キティは、せんたく場で働きながらも、病人の出た家の子どものことが、気にかかってなりませんでした。世話をする人がないために、ほうりっぱなしにされている子どものことを思うと、かわいそうでたまらないのです。そこで、かの女は、自分のうちの寝室《しんしつ》を開放して、そういう不幸な子どもを、二十四、五人も集め、食事の世話までしてやりました。かの女の、このこころ意気に打たれて、いっしょに子どもの世話をさせてくれという婦人があらわれました。この人は、集まった子どもたちに、祈《いの》りのことばや、賛美歌などを教えました。近所の人たちは、これをキティの寝室学校とよびました。

市の役人たちは、この寝室学校のうわさを聞いて、なるほど、不幸な子どもたちを、そのままにしておいてはいけない、と考えるようになりました。その結果、市設の託《たく》児所《じしょ》を作って、ふしあわせな子どもたちを、そこに収容するようにしました。キティの寝室に集まっていた子どもたちも、そのほうにひき取られて行きました。

しかし、コレラがおさまってからも、キティの家には、いつも不幸な子どもが、なんにんかいないことはありませんでした。夫のトマスもキティと同じ考えを持っていたので、常に妻の仕事をたすけました。ウィルキンソン夫妻は、ある時には、四十五人もの子どものめんどうをみたということです。

また、市では、キティのせんたく場から思いついて、市設のせんたく場と浴場とを建て、ウィルキンソン夫妻に、その管理を依頼《いらい》しました。

キティは学問もない、貧しい、うら町のおかみさんに過ぎません。しかし、かの女の気だて、かの女のおこないには、どんな人でも心を打たれないものはありませんでした。一八四六年、リヴァプール市の婦人会は、その総会にキティを招待して、かの女の功労をたたえ、感謝のしるしとして、銀製の茶器を、ひとそろいおくりました。キティ・ウィルキンソンは、一生、誠実に働きました。そして、一八六〇年、七十四歳《さい》で、やすらかに世を終わりました。

一 日本人

「なんだ。なんだ。」

「どうしたんだ。どうしたんだ。」

口々にさけびながら、バスティーユのひろ場のほうへ、人々が飛んで行きました。じりじりと日の照りつける広い往来には、たちまち、黒やまのような人だかりができました。

人がきのなかには、荷物を山のように積んだ荷馬車が、動かずにつっ立っていました。しかし、みんながかけつけたのは、もちろん、荷馬車がめずらしいからではありません。荷馬車をひいてきた馬がおなかを見せたまま、道ばたに倒《たお》れてしまったからです。おなかには、あぶら汗《あせ》がいっぱいにじんで、黄いろく光っていました。

馬は、暑さでつかれているところへ、舗道《ほどう》に水がまいてあったために、ひづめをすべらして、ころんだのです。

御者《ぎょしゃ》はいうまでもなく、そこへ集まった人たちもなんとかして馬を立たせてやろうといろいろ骨を折りました。馬も立ちあがろうと、もがきました。しかし、鉄のひづめが、舗道の表面をななめにこするばかりで、どうしても立ちあがることができませんでした。そのうちに、馬のおなかは次第《しだい》にはげしく波をうちはじめました。こまりきった御者は、手のつけようがないという顔で、馬の腹を見おろしながら、ため息をついていました。

その時、顔の黄いろい、あまり背の高くない、ひとりの紳士《しんし》が人がきの中からつかつかと出てきました。かれは、いきなり自分のうわぎをぬいで、それを馬の足へしきました。それから、みぎ手でたてがみをつかみ、ひだり手で馬のタヅナをにぎりました。

「それっ！」

かれはからだに似あわない、大きな、かけ声をかけました。それは、はっきりした日本語でした。

馬はぶるっと胴《どう》ぶるいをして、ひと息に立ちあがりました。うわぎですべりがとめてあったために、まえ足にぎゅっと力がはいったからです。

見物のなかには、思わず「あっ。」と声をもらす人もありました。

御者は非常に喜んで、いくたびか、その黄いろい顔の紳士にお礼を言いました。だが、紳士は、「ノン、ノン。」（いいえ、いいえ。）と軽く答えながら、手ばやくうわぎを拾いあげました。そして、どろをはらってそれを着ると、どこともなく、すがたを消してしまいました。

このことは、すぐパリの新聞に出ました。いや、それはフランスだけではありません。イギリスの新聞、イブニング・スタンダードにまで掲載《けいさい》されました。（一九二一年六月三十日のぶん。）それればかりではありません。イギリスで出版された逸話《いつわ》の本のなかにも、「日本人と馬」という題でのせられています。

この人の名まえは、おしいことに、今では、もうわかりません。

バイソンの道

アメリカ合衆国オハイオ州のいなかへ、ひとりの学生がやってきた。そして、むかし、土人が狩《かり》をしたり、戦争をする時に通った道を教えてもらいたいと、村の老人にたのんだ。老人は、パーカースバーグからイーウィングの停車場へ、さらにタートル通りからカナワ停車場へ、イートン・トンネルをこえてマーティンの森をぬけ、グリーンウッドの北を過ぎて中央停車場へ、東へまがってゴーハム・トンネルをこえ、ミドカ・アイランドの流れへと案内してくれた。

案内が終わったあと、その学生は、あざけるように言った。

「なぁんだ。土人どもは、らくな道ばかり歩いたんだな。それなら、鉄道線路のあるところを通ったんじゃないか。」

それを聞くと、村の老人は、からからとわらって、

「いいえ、その時分には鉄道はありゃしません。鉄道技師が土人の通った道をもとにして線路をしいたんでさぁ。」

しかし、村の老人は、こう答えたが、じつは、土人どもが道をつくるずっと前に、この道は、あの牛に似た猛獣《もうじゅう》、バイソンが通った道なのである。そのむかし、バイソンの大群がしょっちゅう通ったところなので、自然に、なんキロも、なんキロものあいだに、道がついてしまったのである。このバイソンの通った道が、結局、土人の道となり、さらに、土人の道が、鉄道となったのだ。バイソンも人間の文明にひと役かっているわけである。

動物ずきのトマス

小さい時分から、音楽がすきな子どもだとか、絵がすきな子どもだとか、いろいろあるものですが、ここにお話しするのは、動物がだいすきな子どもです。イギリスの北のほう、スコットランドのアバーティーンというところに、トマス・エドワードという少年がいました。このトマスは、まだ五つか、六つぐらいの時分から、動物がすきでした。ある時など、朝っぱらからうちを飛びだしてしまい、お昼になっても、夕がたになっても、帰ってきません。おとうさんもおかあさんも非常に心配して、方々をさがしましたが、どうしてもわからないのです。そこで、近所の人たちにもたのんで、手わけをしてさがしてもらいましたが、やはり、手がかりがありません。ところが、ある人が、ふと、農家のきたないブタ小屋をのぞいて見ると、まあ、なんということでしょう。トマスは、そのくさいブタ小屋のすみに、グウグウいびきをかいて、寝《ね》ているではありませんか。そばには、親ブタや子ブタがブウブウ鼻を鳴らしています。見つけた人は、あきれ返ってしまいました。トマスは、小さい時からこういった子どもでした。

それからあとも、トマスはおかあさんにだまって、しょっちゅう家を飛びだし、カブトムシだの、カエルだの、クモだの、アブラムシなどをつかまえて、うちへ持って帰りました。そして、人がいやがるのもかまわずに、それを家のなかに放して、虫の動く様子を見ては、楽しんでおりました。

両親が、「そんなきたないものを取ってくるものではない。」と言っても、ちっとも聞きいれません。しかたがないものですから、おかあさんは、ある時、トマスのからだをテーブルの足にしばりつけて、どこへも出て行けないようにしてしまいました。しかし、トマスはそのくらいのことでは、へこたれません。おかあさんのいないすきをねらって、重いテーブルをずるずる引きずりながら、炉《ろ》ばたにいざって行きました。そして、炉の火でなわを焼き切って、そとへ飛びだしてしまいました。そうして、また、ミミズやなんかを取って帰ってきたものですから、おかあさんもあいた口がふさがりませんでした。

こういったぐあいに、トマスは年中、動物を追っかけまわしたり、動物のそばに寝ていたりしたものですから、そのために、ひどい熱病にかかりました。熱が高くて、意識もなくなってしまい、もう、とても助かるまいと思われたほどでした。こんなひどい病気にかかっては、トマスも、今度こそ、こりたろうと、両親は思っていました。ところが、どうして、どうして、こりるどころではありません。まだ、からだが、ふらふらしているのに、かれはシャツのままベッドから抜《ぬ》けだして、そのへんではめったに取れない、めずらしいキバチの巣を取ってきました。トマスは大いに得意になって、鼻をうごめかしながら、その巣をベッドの近くにおいて、楽しんでいました。しかし、ハチのような物騒《ぶっそう》なものを、うちのなかに飼っておくわけにはいきません。おとうさんはおこって、その巣を熱湯につけてしまいました。

トマスの動物きちがいには、両親もてあましてしまいました。もう、こんな子はどこかへ

やってしまおうかと思いましたが、まさか、そうもいきません。で、父おやはいろいろ思案したあげく、学校の校長さんのところに相談に行きました。校長さんは、「小さいうちから、そんなに動物ずきなのは、どこかに見どころがある。」と言って、トマスの教育をひき受けてくれました。しかし、学校に行くようになっても、かれの動物ずきはなおりません。トマスは、たいてい教室に出ないで、学校のうらのほうに行っては、動物を追いかけていました。そうして、つかまえてきたものを教室のなかに放しておくものですから、教室は、まるで動物園のようになってしまいました。

ある朝、こんなことがありました。礼拝堂で、学校の人たちが、あたまをたれて、しずかにお祈《いの》りをしている時のことです。突然《とつぜん》、「バサバサ」と、けたたましい音が、お堂のなかにひびき渡《わた》りました。それは、トマスがうわぎの下に入れておいたカラスが、急に飛びだしたからです。みんながびっくりして顔をあげると、カラスもびっくりしたらしく、あわてて丸ばしらの上のほうに飛びあがり、小くびをちょいと曲げて、ふしぎそうな顔つきをしながら、「カア、カア」と鳴きました。そのために、朝のお祈りはめちゃめちゃになってしまいました。さすがの校長先生も、これにはあきれて、トマスを退校させてしまいました。

それで、トマスはまた、ほかの学校に行きました。そこでも、ガラスビンの中に入れておいたアブが、ビンの口から一時に飛びだして、先生や生徒のからだを刺《さ》したものですから、また、たちまち追いだされてしまいました。

その次に入学した学校では、生徒の肩《かた》に、ムカデをはわしたというので、またまた、退校させられました。実際は、トマスがやったことではなかったのですが、平生（へいぜい）が平生だものですから、ゆるしてもらうわけにはいきませんでした。

その時、かれは満六歳《さい》でした。かれはまだ自分の名を書くこともできなかったのですが、それ以来、学校へ行くことをきらいました。両親は、なんとかして勉強させたいと思いましたけれども、トマスは、学校よりも鳥や虫けらのほうがすきだったのです。

けれども、トマスはいつまでもカエルやカブトムシやカラスなどを追いかけているわけにはいきませんでした。自分で自分のくらしを立てなければならない年齢《ねんれい》に達したからです。そこで、かれはクツ屋になって生活の道を立てました。そして、仕事のあいまに、すきな動物の研究をしました。かれの動物に関する実際的な知識は、専門家も舌をまくほどだったということです。けれども、なんといっても、学問がないために、その知識をまとめる力がありませんでした。

トマスは十一人もの子どもを持つようになってから、はじめて、自分に学問のないことを悲しみました。そして、本を読み、勉強をしなくってはいけない、と心から思うようになりました。そこで、九年間も苦心して集めた標本を、――それは車に積んで七台もあったということですが、それらの標本を、わずか二十ポンドで売りはらって、それを学費にあてました。いわゆる六十の手ならいをはじめたわけです。

その熱心な態度はまことに見あげたものですが、この年になってからでは、もう遅《おそ》うございました。生まれながらの動物ずきで、そのほうの天分は十分にありながら、少年時代にきちんとした勉強をしなかったために、このトマスは、これという業績をあげることもなく、さびしく世を終わりました。「すきこそ、もののじょうずなれ。」ということわざもありますが、ただすきなだけでは、大きくのびません。

傷病兵の手がみ

世界大戦の記念すべき休戦条約が結ばれた翌年三月のことです。ロンドンから西へ少しはなれたミドルセックスのノースウッドにある陸軍病院のベッドに、ひとりの病兵が横たわっていました。彼《かれ》はドイツ軍の毒ガスのために胸をいためられたのです。医者の診断《しんだん》によると、病勢は非常に悪く、もうとても長くはもつまいということでした。

そういうみじめなからだで、自分ではベッドからひとりでおりることもできないような容態なのに、彼は戦争で視力を失った廃兵《はいへい》たちのことが気になってたまりませんでした。目の見えない人は自分なんかよりもどれだけ不幸かわからないと、彼は思っているのです。そういう不幸な兵士たちは、ロンドン市内のリジェント公園にあるセント・ダンスタン病院に収容され、そこで治療《ちりょう》を受けているのです。彼はできることなら自分で花を持って見まいに行きたいのですが、彼のように動けないものにはどうすることもできません。しかし彼はなんとかしてその不幸な人たちをなぐさめる道はないものかと、二日も三日も、そのことばかり考えていました。それからとうとう不自由なベッドのなかで、長い時間かかって、やっと一通の手がみを書きました。あて名はデイリー・エクスプレス新聞の主筆です。

拝啓《はいけい》　大戦は終わりました。平和になるといっしょに世間の人々はその当時のことをどんどん忘れてしまいます。小生は貴紙を通じて読者諸君に、セント・ダンスタン病院で療養しているめくらの勇士たちのことを忘れないようにとお願いしたいと思います。あの人たちにさしのべられた同情の手をゆるめないことをお願いしたいと思います。三年前のあの戦争に、祖国を守るため

に名誉《めいよ》の負傷をした軍人は数しれずあります。負傷もいろいろです。手を失ったり足を失った兵士ももちろんありましょう。けれども、ありがたいことに、その人たちはまだ自然の美しさを自分の目で見、それをたたえることができます。春になれば、まっしろい雪のようにリンゴの花が咲くのを見ることができます。すがすがしい木の芽が新鮮《しんせん》な緑をのぞかせるのを見ることができます。白い雲の浮《う》かんだ果てしもない青ぞらを仰《あお》ぎ見ることができます。木の枝やいけがきで歌う小鳥の声を聞くだけではなく、その愛らしいすがたを自分の目で見ることができます。

夜と昼、兄弟よ、どちらも美しいではないか。
太陽と月と星、兄弟よ、どれも美しいではないか。
そして、見たまえ。いま風が草むらを吹《ふ》きすぎてゆく。

ラヴェングローの詩にあるその「夜と昼」とが彼らにはあるのです。さわやかに草むらを吹きすぎてゆく風の色まで見ることができます。
しかし、目を奪《うば》われた人たちにとってはすべてが夜です。彼らはどんなに味けなく暮らしていることかわかりません。

セント・ダンスタン病院には、祖国を守るために視力を奪われた多くの人たちが、味けない日々を送っています。この人たちにやさしい同情の手をさしのべることを、どうぞ貴紙の読者諸君にくれぐれもお願いしてください。

エドワード・エル・フレッチャー

フレッチャーは、自分も戦争のために病気になって死にかかっているのだなどということは書きませんでした。しかし新聞記者が調べたのでそれがわかりました。自分の不幸を念頭におかず、かえってもっと不幸な人に同情を寄せるけだかい心に動かされたのでしょう。デイリー・エクスプレスの主筆は、この手がみをそのまま新聞にのせてくれたばかりではなく、手がみを書いた人の身の上をもくわしく世間へ伝えました。この記事が出ると、セント・ダンスタン病院へ見まいの品を持ってきたり、送りとどけたりする人があとから、あとから続きました。立派な音楽家が見まいにきて、物を見ることのできない不幸な人たちのために美しい音楽を演奏してくれました。戦争でひとりむす子をなくしたという婦人がおとずれて、特ににおいの高い花ばかり選んだのを、全部の病室へくばってもまだあまるほどたくさんに贈《おく》ってくれました。病院へこころの春がかえってきました。

エドワード・フレッチャーは、めくらの戦友のために手がみを書いてから十カ月め、一九二〇年十二月に病院で息をひきとりました。翌年の三月、エドワードがあのやさしい手がみを書いた時がまたまわってきました。彼の兄のアーサーは、デイリー・エクスプレス新聞社を訪問して、今年も同じ日にもう一度、弟の手がみをのせてもらえないだろうかと頼《たの》みました。新聞社はよろこんでその依頼《いらい》に応じました。そこでエドワードの美しい手がみは、去年と同じ日にふたたび広く人々の胸に呼びかけることになりました。そればかりか、その手がみはのちに書物のなかにも取りいれられて、いつまでも彼のあたたかい心を伝えるようにしています。今ここにこの手がみが日本語に訳されてのることになったのは、べつに彼のにいさんから頼まれたわけではありませんが、なぜ、ここにのっているかは、皆《みな》さんにもわかってもらえることと思います。

フリードリヒ大王と風車小屋

ドイツのなかで有力な国の一つであったプロシアに、昔、フリードリヒ二世（1712—1786）という国王がいました。この王は、政治、外交、軍事はもとより、学芸、産業等、あらゆる方面に力をつくし、国威《こくい》を高めたので、世の中からフリードリヒ大王とあがめられた人です。

「国王は国民の第一の公ぼくである。」という、有名なことばを言ったのも、このフリードリヒ大王です。大王は、常に大ぜいの臣下の先頭に立って、国のために働きました。きょうは、大臣たちと机をかこんで外交問題を論じているかと思うと、あすは、もう将兵と共に戦場に立つ、というふうに、大王は連日はげしい活動を続けていました。しかし、いくら活動的な大王でも、休養をとらないわけにはいきません。そこで、大王は、ベルリンの郊外《こうがい》のポツダム（今度の大戦の末期に、あの有名な「ポツダム宣言」の発表されたところ。）に、美しい離宮《りきゅう》を作りました。ここは、政治の中心、ベルリンにも近く、また、湖をひかえた、静かな土地なので、離宮を設けたわけですが、その美しい離宮を、大王は、「サン・スーシー」と名づけました。日本語に訳すと、「無憂宮」（むゆうきゅう）という意味です。つまり、この離宮ですごすあいだは、世間のことはいっさい忘れて、のんびりとくらしたいという考えから、こういう名をつけたのでしょう。

大王はいそがしい政務や、戦争のあいまをみては、たびたび、この離宮にきて、学者や、芸術家をあい手に、哲学《てつがく》を論じたり、詩を作ったり、あるいは、はなやかな音楽会を開いたりして、日ごろのつかれを休めることにしていました。戦場に出ては、どんな苦しい野営生活でも我慢《がまん》をしますが、ここにおちついた時だけは、ゆったりとした生活をしたいと

いうのが、大王の願いでした。

ある年のこと、大王は、無憂宮のまわりの庭をひろげて、もっと静かな、ひろびろとしたものにしたいと考えました。大王にとっては、ここが唯一《ゆいいつ》の休養の場所であり、くつろぎの場所なのですから、すぐに、それを実現したいと思い、係の者を呼んで、庭の設計図を作らせました。

やがて、図面ができあがりました。大王は、それを見て、なかなかよい設計だと思いましたが、ただ一つ、気にいらない点がありました。それは、庭のすみのほうに、こぶのように出ばったところがあったからです。

「これは何か。」

「はい、あいにく、そこに大きな風車小屋がありますので、いろいろ苦心をいたしましたが、うまいぐあいにまいらなかったのでございます。」

設計者は、おそるおそる答えました。

「なに、風車小屋。そんなものは買い取って、とりつぶしてしまえばよいではないか。」

大王は、事もなげに言いました。

「はい、私どもも、そうするつもりでございましたが、その風車小屋の主人は、がんこなおやじでございまして、どうしても売らないのでございます。そのために、そこのところだけ、ぶかっこうな設計になってしまいまして、申しわけがございません。」

臣下の答えを聞いて、大王は、風車小屋の持ちぬしが買いあげの値だんに不満なのではないか、と考えました。そこで、改めて、その点をたずねますと、いくら大金を出すと言っても、その主人は応じないのだ、ということがわかりました。大王は不審《ふしん》に思って、さらに問いを続けました。

「それは、また、どういうわけか。」

「はい、あるじの申しますには、自分たちは代々この風車小屋でくらしてきました。今、自分の代になって、それを手ばなすわけにはいかないと、申すのでございます。」

「そうか。すると、その小屋は、金にはかえられないと申すのだな。」

大王も一応、合点（がてん）がゆきましたが、しかし、それでは、どうしても庭の形がくずれてしまいます。なんとか、よい手段はないものかと、いろいろ考えてみましたけれども、ほかに名案もうかびません。気の毒ではあるが、これは、やはり取りこわすよりしかたがないと思いましたので、大王は家来に命じて、もう一度、説得させることにしました。

ところが、係の者が行って、大王の命令だからと言って話をしても、風車小屋の主人は、前と同じように、聞き入れませんでした。

役人は、憤慨《ふんがい》して、大王に訴《うった》えました。

「あのおやじは、まことにしたたか者で、どのようにわけを説いて聞かせましても、承知いたしません。このままに捨ておきましては、大王のご威光にもかかわりましょう。このうえは、権力をもって、小屋をたたきつぶすよりほかはないと存じます。」

大王は、それを聞いて、しばらく考えていましたが、

「よろしい。それでは、わたしがじきじきに説いてみよう。その男を呼んでくれ。」

と、おだやかに言いました。

やがて、風車小屋の主人は、無憂宮の庭さきにつれてこられました。大王は、わかりやすいことばで、その男に言いました。

「おまえが先祖から伝わった家を手ばなしたくないと申すのは、もっともなことだ。しかし、そこを曲げて、ゆずってもらえまいか。ここは、わたしの休養の場所であるばかりでなく、時には、外国の使臣の接待の場所でもあるのだ。外国の使臣をまねいた時、風車小屋が庭につき出ていては、いかにも見ぐるしい。一つ、そこを考えてもらいたいのだ。」

「大王さまから、直接のおことばをいただきまして、なんとも恐《おそ》れ入りました。しかし、このことばかりは――」

一市民にすぎない風車小屋の主人は、大王の前でも、「ノー」と答えました。

「おまえが、あの小屋を立ちのいても、立派にくらしのたつようにしてやるが、それでも不承知か。」

「はい。おおせではございますが、あの小屋ばかりは、おゆずり申しあげるわけにはまいりません。」

髪《かみ》の毛こそ、もう白くなっていましたが、まだ少しのおとろえも見せていない、がっちりした老市民は、さらに、ことばを続けました。「あれは、手まえどもにとって、かけがえのないものでございます。もう、なん代となく、手まえどもの一家は、あの小屋で働いてまいりました。みんな、あの小屋で生まれ、あの小屋で育ったのです。毎日毎日を正直に働いて生きてゆく、それを教えてくれたのも、あの小屋でございます。自慢《じまん》ではございませんが、あの小屋で生まれた人間に、今まで、ひとりだって、不正直な世わたりをしたものはございません。骨は折れましても、日々あの小屋のなかで働いていく喜びというものは、また格別でございます。手まえも、あの小屋のおかげで、代々の先祖が自分の職業を大事に守り伝えてきた喜びを、しみじみと知ることができました。で、せがれにも、手まえ同様、あの小屋といっしょに、この喜びを受けつがしてやりたいのでございます。それに――それに、この年になりますと、手まえも、じじいや、おやじと同じように、やはり、あの小屋で、息がひきとりとうございます。」

「これ、これ。」と、家来のひとりが口を切りました。

「その言いぶんは、もう、なんべんも聞いている。そんな泣きごとをいくたび聞いたところで、しかたがない。――おまえもよくわかってくれなくっては、こまるではないか。よいか、大王さまはお庭をおとりひろげになろうというのだ。それだのに、そのほうは自分ひとりのつごうだけで、大王さまのご計画をおさまたげしているのだ。――いったい、そのほうは大王さまをなんと心えているのだ。ほんらい、大王さまのお力をもってすれば、そのほうが、承知しようと、しまいと、いやおうなしに立ちのかせるのは、わけもない事なのだぞ。それを、こうしてわざわざ、ご自身おことばがあるというのは、この上もないお慈悲《じひ》だということがわからないのか。」

「いや、おことばを返すようでございますが……」

と、風車小屋のおやじは、きっとなって、言いました。「そんなことは、大王さまでもおできになるはずはございません。もし、大王さまがさようなことをなさるのなら、手まえはベルリンの裁判所へ訴えます。あすこの判事さまは、正しいお方でございますから、たとえ、あい手が王さまであろうと、わたしたち人民の権利を、わけもなく、ふみにじるような判決はなさらないと信じます。手まえはしがない風車小屋のおやじですが、毎日毎日を正直に働いて、自分の義務をまちがいなくはたしさえすれば、どこに出たって、ちっともこわいことはございません。裁判所は、どんな時にでも、正直な人民の権利を必ず守ってくれます。権力で取りあげるほうが正当か、先祖の風車小屋を売りわたさないほうが正当か、よしあしは、判事さんがきめてくれましょう。」

あるじは、おくする色もなく、堂々と自分の考えを述べたので、家来たちは、いきり立ちましたが、大王は静かにそれをおしとどめ、あるじのほうを向いて、微笑《びしょう》をうかべながら言いました。

「よし、よし。おまえの言うことは、よくわかった。あの風車小屋には手をつけないから、安心するがよい。おまえは、これからも、今まで通り、正直に働いてくれ。」

「さすがは、大王さまだ。」

風車小屋のおやじは、生きかえったように喜びました。そして、なんども、なんども、お辞儀《じぎ》をして、帰って行きました。

大王は、おやじのうしろ姿を見おくっていましたが、その顔には、喜びの色があふれていました。

臣下の者は、不思議に思いました。これでは庭の形が悪くなるのに、どうして大王が喜んでいるのかわからなかったからです。しかし、大王は言いました。

「いや、人民があれほど裁判所を信頼《しんらい》していようとは、わたしも今まで知らなかった。あれで見ると、わたしの裁判官たちは、法の前では、王侯《おうこう》貴族も平民も、すべて平等だという信念をもって、その職にあたっているのだ。そして、人民もそれに信頼しているのだ。わたしは、それがうれしい。すべての人が法を重んじ、法に従う、これが何より大事なことだ。庭のかっこうなんか、少しぐらいどうなったって、かまうものではない。むしろ、庭がぶかっこうになったのは、人民の権利を尊重した結果だと思えば、わたしは、かえって、うれしいくらいだ。」

こういうわけで、風車小屋にはいっさい手をつけないで、無憂宮の庭園は改造されました。

フリードリヒ大王が人民の権利を尊重したことを記念するために、今日でも、その風車小屋は、離宮の近くに保存されています。

ミレーの発奮

見た目にきれいだ、というだけの絵なら、世間にありあまるほどあります。ただ形を写すというだけの絵なら、画家の苦心は、それほどいりません。目を通して魂《たましい》にふれるもの、そういうものでなければ、ほんとうの絵ということはできないでしょう。真実を描《えが》いて、人々の心を打つもの、それがすぐれた作品です。そういうほんとうの絵、すぐれた作品というものは、そうたくさんはありません。絵をかいて、そこまでいった画家も、たくさんはありません。そういう作品を生みだすには、ただ絵がうまいというだけでは、不十分です。ものの真髄（しんずい）を見とおす深い目と、それをあらわすしっかりした腕《うで》とがなければなりません。そして、この二つを、自分のものとするためには、たとえ、天分をもった画家でも、一生をかけて、ほね身をけずる修行《しゅぎょう》をしなければなりません。昔から、天才といわれるほどの画家は、みんなこういう苦しい修行をしてきた人たちです。

ジャン・フランソア・ミレー（1814—1875）も、長いあいだ、逆境のうちにあって、この苦しい修行をつみ、ついに、自分の道を切りひらいた、少数の画家のひとりです。かれの描いた絵は、しみじみと私たちの心にふれてきます。私たちの魂を、きよらかな感情のなかにひたしてくれます。かれの絵には、真実がこもっているからです。かれこそは、真の画家、真の芸術家と呼んで、はずかしくない人物のひとりです。

このミレーが、まだ二十二、三のころ、パリに行って、絵を習っていた時分のことです。農村で生まれ、農村で育ったかれは、都会のキザな空気と合いませんでした。かれの好んだものは、農村であり、農夫であり、地みち

なもの、大地につながるものでした。だから、いなかから出たての、無骨（ぶこつ）なかれは、都会かぜをふかすパリの絵かきなかまから見ると、いかにも気のきかない、あらけずりの男に見えたのでしょう。「森の野蛮人（やばんじん）」というのが、かれのあだ名でした。

そのうえ、かれは貧乏《びんぼう》でした。故郷の近くの町から学費をもらっていましたが、それは、パリでくらすには、あまりに少ない額でした。うちは貧しい農家なので、一フランだって、かれのところへ送ることはできません。元来、無口で、じみな性質なのに、貧乏ときているのですから、なかまのつきあいなんか、とてもできません。同じアトリエにかよっている連中からは、話せないやつだと、バカにされていました。

しかし、ミレーは、自分のいなか者であることを、はずかしがるようなことはありませんでした。いなか者のくせに、いなか者と見られまいとして、身につかない都会のふうをまねする、いなか者とはちがっていました。先祖から代々労働をしてきた、がっしりした体格、がんじょうな手、それから、神を信ずることの深い、すなおな心、――貧しくとも、気ぐらいの高い、そして、つつましやかな、いなか者でした。そこで、「森の野蛮人」というほかに、かれには、「木グツをはいた神さま」という、あだ名がついていました。

「森の野蛮人」は、絵の勉強にかけては、へなへなな都会の青年たちとはちがっていました。「木グツをはいた神さま」は、ときどき、すばらしい絵を発表しました。先生はドウラロッシュといって、そのころ、一流の画家でした。ミレーはその下で勉強して、めきめき上達していきました。さすがに、ドウラロッシュは、いなか者だからといって、ミレーをけいべつするようなことはありません。ほかの弟子《でし》たちに、ミレーの絵を模範《もはん》として示したり、みんなも、ミレーのように勉強しなくてはいけない、と語ったりしました。ミレーが年百フランの月謝が納められないで、アトリエを去ろうとした時にも、月謝なんかいらないからと言って、かれをひきとめたほどでした。

しかし、このアトリエでは、きまった型のなかで、昔からなんべんもくりかえされた題材しか描かないので、やがて、ミレーは、ここの画風に不満を持つようになりました。そういう気分がきざしかけていた時、たまたま、懸賞《けんしょう》つきの絵画のコンクールがもよおされることになりました。そのコンクールで一等をとればローマに留学させるというのです。ミレーもこの競技に加わりました。一等をとればローマに行かれる。イタリアの旅行ができる。日ごろ尊敬していたミケランジェロをはじめ、文芸復興期の偉大《いだい》な画家の作品を、まのあたり見ることができる。一つ、この懸賞に当選して、イタリアで、みっちり絵の勉強をしてこよう。そう考えたかれは、心を打ちこんで、カンバスに向かいました。そして、これなら、はずかしくないという力作を出品しました。

審査《しんさ》をしたのはドウラロッシュでした。かれはミレーの絵を見て、おどろきました。ことに、構図がすぐれていました。公平に審査をすれば、ミレーが一等です。

種をまく人（1850年）　山梨県立美術館所蔵

これは困ったことができたと、かれは思いました。じつを言うと、ドウラロッシュには、ルーという気に入りの弟子がありました。しかも、一等が取れるように尽力《じんりょく》してやると、すでにその人と約束がしてあったのです。ミレーを一等にすれば、ルーとの約束をほごにしなければなりません。と言って、ルーを一等にすることは、ミレーの絵がある以上、さすがに、気がとがめました。ドウラロッシュは、だまってルーを一等にしてしまうのは、どうも心がゆるさないので、ある日、ミレーを呼んで、ひそかに了解《りょうかい》を求めようとしました。

「君はローマ賞を取りたいんだろうね。」

「むろんです。」と、ミレーは答えました。

「そうでなければ、応募《おうぼ》なんかしません。」

「そうだろうね。」

ドウラロッシュは、しばらくだまっていましたが、やがて、言いにくそうに口を切りました。

「君の構図は、実際すぐれている。だが、君に承知しておいてもらいたいことがある。ほかでもないが、じつは、今度は、ルーを一等に推《お》したいと思うのだ。そのかわり、来年は、きっと君を推すように、尽力しよう。ことしは、まあ、あきらめてもらいたい。」

こういう、ざっくばらんな打ちあけ話を聞かされては、自分の先生に対して、何も言うわけにはいきませんでした。しかし、ミレーは、こういうアトリエにとどまって

晩　鐘（1855-57年）　ルーブル美術館所蔵

いる気にはなれなかったので、即座《そくざ》にドウラロッシュのもとを去りました。大家をたよって、一人まえの画家になろうなどと考えていたことがまちがいだったのだ。もう二度とふたたび、人をたよるまい。けっして、こういう大家のひきをあてにしまい。ただ自分の努力だけでやっていこう。失望のなかで、かれは、かたく決心しました。

ドウラロッシュのアトリエを出てからは、きまった先生につかず、方々の絵画研究所にかよったり、ルーブルの美術館に足を運んだりして、ひとりで、絵の勉強をつづけました。ところが、運の悪いことには、この時になって、故郷の近くの町から、毎月、送ってきてくれた学費が、うち切られてしまいました。今まででも、とぼしい学費でやっていたのですが、今度は、そのとぼしい学費すら得られないのです。かれは、どん底につき落とされてしまいました。

かれは、なんとかして自分の生活を立てていかなければなりません。それには、自分で絵をかいて、それを売るよりほかはありませんでした。しかし、自分のかきたいと思う絵をかいて、それが生活のたしになるのなら、これほどいいことはありませんけれども、それはミレーのような、無名な青年画家に許されることではありません。食うためには、自分の感興がわこうがわくまいが、俗《ぞく》うけのするものをかかなくてはだめです。ほんとうの画家になりたい、真実のこもった絵がかきたいと、心から願っていたミレーのような人にとって、たとえ、生きてゆくためとはいえ、自分で「いやだ。」と思う絵もかかなければならないということは、どんなにつらいことだったでしょう。

かれは、百姓《ひやくしよう》の子に生まれ、土にしたしんで育った男です。そのころ、かれは友だちに向かって、よく言いました。

「もし畑で働いている人たちの姿をえがくのだったら、どんなにいいだろう。たとえ

落穂拾い（1857年）　ルーブル美術館所蔵

ば、日を浴びてほし草を刈《か》っている男とか、刈った草をひろげている女たちとか、健康な、清らかな、あの姿をかくのだったら……」

だが、そんな絵をかいたのでは、一枚だって売れません。売れるのは、田園や農村の絵ではなくて、女の裸《ら》体画《たいが》でした。森の風景ではなくて、しゃれた女の風俗画でした。ミレーは、心にもなく、そういう絵をかいて売らなければなりませんでした。当時は、まだ写真というものがありませんでしたから、肖像画《しょうぞうが》の注文が、画家の収入になる時代でした。ミレーは五フランか十フランで、そういう絵をかき、その金を受け取ると、すぐ近くのパン屋に飛んで行って、ひもじい腹を落ちつかせることも、たびたびありました。まきパン一つに、一ぱいの水、それがかれの朝めしで、昼めしは、ぬきにすることも少なくありませんでした。

そのあいだにも、かれはまじめな絵の研究をおこたりませんでした。カンバスを十分に買う金がありませんから、一度かいた絵をぬりつぶして、その上に新しい絵をかきました。こうして、一方では、しんけんな制作をつづけているうちに、やっと、かれにも芽が出るようになりました。二十五歳《さい》の時、かれは、フランス第一の美術展覧会であるサロンに出品して、入選するまでになりました。ここに入選すれば、とにかく、一人まえの画家として、世間に通ります。しかし、そうなっても、かれの貧乏はあい変わらずでした。やはり、安い金で、看板や肖像画をかかなければ、その日、その日のパンが得られなかったのです。しっかりした腕《うで》をもちながら、真実の探究に燃えていながら、なお、こんな仕事をしなければならなかったということは、じつに、いたましい限りです。

こういう生活が十年もつづきました。最初の妻は貧困のうちに死んでいきました。二度めの妻をむかえ、子どもがふたりもでき、かれも三十二、三になりましたが、まだ窮乏《きゅうぼう》からぬけ出すことができませんでした。もとより、かれがときどき展覧会に出品した絵は、心ある人々を感心させずにはおかなかったのですが、しかし、その結果は、ただ少数のよい友人ができただけでした。

自分が青年になるまでの日を送った田園、森の静けさ、かざりけのない農村の人たち、かれは、どんなにそれを描《えが》きたかったか知れません。しかし、わずかなひまと金とを作って、そこをおとずれるだけの余裕《よゆう》もないのです。かれは、さからうことのできない、暗い、大きな力に、しばりつけられて、パリの裏まちから出ることができないのです。油絵をベッドと交換《こうかん》したり、鉛筆画《えんぴつが》六枚を一足のクツと取りかえたりして、くらしをたてていかなければなりませんでした。これらの絵のなかには、あとで、ミレーが有名になってから、一枚、なん万

箕《み》をふるう人（1848年）　ルーブル美術館所蔵

フランという値をもつようになったものもありました。

三十三になった年の二月、いわゆる二月革命（フランス大革命から約六十年後の一八四八年二月の革命、この結果、ふたたびフランスは共和政体となる。）が起こりました。その結果、フランス画壇（がだん）にも、新しい気運が起こり、ルーブルで自由展覧会が開かれました。その展覧会に、ミレーは二つの絵を送りました。二つとも入選しました。ことに、そのうちの一つ、「ミをふるう人」という絵は、たいへんな評判をとりました。それは、青いシャツ、赤い首まきをした農夫が、納屋（なや）で穀物をふるっている絵です。「ミから散らばる粉は、見る人にクサメをおこさせる。」と言われたほど、真にせまっているものでした。ミレーは、このころから、やっと年来の希望を生かして、農村の絵をかきだしたのです。かざりけのない農夫の生活を描かずにいられなくなったのです。ちょうど大きな民衆運動のもりあがっていた時代ですから、この農夫の絵は、強い感動を人々にあたえたものと見えます。たちまち、美術家のあいだで評判となりました。

しかし、自分の絵が世間の評判になっている時、その作者ミレーは、窮迫《きゅうはく》のどん底におちいっていました。たべるものもなく、燃やすものもなく、寒さにこごえていました。見かねた隣《となり》の人が、そのことをミレーの友人に知らせてやったので、友人はお

夕暮れに羊をつれ帰る羊飼い（1857-60年）　山梨県立美術館所蔵

どろいて、さっそく美術院長のところへ飛んで行きました。そして、百フランの金を出してもらうと、その足で、かれの家へやってきました。

「こんばんは！」

呼んでも返事がありません。見ると、火のけもない暗い仕事場の片すみに、ミレーが箱の上にうずくまっています。身うごきもしません。友だちはかけ寄って、その手をとりました。

「いったい、どうしたのだ。ミレー君。」

肩《かた》に手をやって、ゆすぶると、ミレーはやっと顔をあげました。

「どうしてこんなになるまで、だまっていたんだ。さあ、ここに金がある。これは君の金だ。」

友だちは、ミレーの手に金を渡《わた》しながら、こう言いました。

「ありがとう。」

ミレーは、はじめて口をききました。

「いいところへきてくれた。じつは、ぼくたちは、もう二日間、なんにもたべていないのだ。しかし、子どもたちには、こんな苦しい思いをさせたくないと、そればかり心配していたのだ。いいあんばいに、きょうまでは、あれたちのたべるものだけは、どうやらあった。だが、あすはどうなるか、――そう思っていたところへ、君がきてくれたのだ。ありがとう、ありがとう。」

ミレーは妻を呼んで、金の一部を渡すと、自分は急いで、マキを買いに出かけました。「ミをふるう人」が政府に買いあげられたので、やっと危機から救われましたけれども、世の中は革命さわぎで、絵を買うものなどはありません。ですから、ミレーは、またまた、無収入の状態におちいりました。六月、またまた、暴動が起こりました。もし、この時、産婆《さんば》から、看板のガラス絵をたのまれなかったら、ミレー一家は、うえ死にしていたかも知れません、さいわいにその看板をたのまれたので、かれは、鉄砲《てっぽう》の音のするなかで、その絵をかきあげました。そして、三十フランもらうことができたので、あぶないところを助かりました。

その翌年のことでした。

ある晩、散歩に出たところ、美術商の店さきに、ふたりの若い男がかざり窓をのぞきこんでいるのに、出あいました。見ると、あかりのついたかざり窓のなかには、かれが、さきごろ売った裸体画がかけてあります。ふたりの男はそれをながめているのでした。

自画像（1845-46年）　ルーブル美術館所蔵

「この絵はだれがかいたのだい。」

「ミレーって男さ。」

「ミレー？　ミレーって、どんな絵かきなんだ。」

「しょっちゅう、はだかの女ばかりかいているやつさ。」

聞くともなしに、ふたりの

会話が、ミレーの耳にはいりました。

ミレーは思わず立ちどまりました。ふたりの男は、それとも知らず、かざり窓の前をはなれると、どこかへ行ってしまいました。

「そうか！」

かれは、深いため息をもらしました。あれが、いつわりのない世間の声だ。おれは裸体画ばかりかいている男と、世間では見ているのだ。低級な好みをねらっている絵かきと思っているのだ。今までは気がつかなかったが、やっぱり、そうだったのか。──屈辱《くつじょく》ともなんとも言いようのない気もちが、からだじゅうにこみあげてきました。

しかし、考えてみれば、世間がそう思うのも無理はありません。たしかに、かれは、そういう絵をかいてきました。それは、否定することのできない事実です。

「そうだ、おれは今までに、なん枚となく、あんな絵をかいてきたのだ。」

おもてを伏《ふ》せてとぼとぼと歩いてくると、心に浮《う》かんでくるのは、祖母や母のことです。あたりまえなら、父の死後、かれは一家をしょって、祖母や、母を養ってゆかねばならない義務がありました。それが、こうして、好む絵の道にはいれたというのは、やさしい祖母や、母のおかげです。絵をやりたくてたまらない彼の気もちを察して、ふたりが快く、かれを絵の修行に出してくれたからです。それだのに、自分をパりに出してくれた母たちが、今のうわさを耳にしたら、どんな思いがするだろう。かれは、じっと、くちびるをかみしめました。

　ドウラロッシュの研究所を憤慨《ふんがい》して去ったころのことも、思いだされました。あれからもう十年になる、と、かれは苦しかった過去を思いかえしました。あの時には、どんな事があろうとも、自分の努力ひとつで、立派に道を開いて見せる、と高言しました。ところが、待っていたものは、底も知れない貧苦《ひんく》の生活でした。とうとう、しかたがなしに、心にもない絵をかきつづけてきました。自分では、かきながら、これはパンを得るためだ、パンを得るためだ、と言いつづけてきました。だが、このままでいけば、結局、これが自分の一生の仕事になってしまうのではないだろうか。

　自分がかねてから、かきたいと思っていたのは、農村ではないか。土から生まれた自分にとっては、これこそ、一番愛情のそそげる題材なのだ。そして、また、かれの一番よく知っている真実も、そこにあるのだ。父といっしょに耕した荒《あ》れ地、みんなで種まきをした畑、しいんと静まりかえった森、やさしいヒツジの群れ、日光をあびて、外気のなかで働いている若もの、日々の苦しい労働を忍《しの》び通してゆく、つつましやかな農夫たち、——パリの夜の町を歩いて行くかれの目に、なつかしい思い出が順々に浮かんできました。信心ぶかい祖母といっしょにくらしていた少年時代の、いろいろな楽しい記憶《きおく》がよみがえってきました。

「もうおれは、どんなことがあったって、不健全な都会の絵はかかないぞ。」

ミレーはかたく決心しました。

うちに帰って、かれは、その晩のできごとを、ありのまま妻に話しました。

「あんたさえ承知なら、わたしは、もう二度と、ああいう絵はかかないつもりだ。くらしは前よりももっと苦しくなるかもしれない。あんたも、さぞつらいことだろう。しかし、この覚悟《かくご》さえつけば、わたしは自由になれるのだ。長いあいだ、望んでいて、はたさなかった仕事がやれるのだ。」

妻はだまって聞いていましたが、やがて静かに、でも、きっぱりと言いました。

「わたしのことなら、ちっとも心配はいりません。どうぞ、あなたのよろしいようになすってください。うちのことは、どんなにでもしてやってまいります。どんなことでも我慢《がまん》いたします。」

その時、かれは幸運にも、政府から大作をたのまれていました。そして、それは、もうほとんど、できあがるばかりになっていました。しかし、かれは、そのかきかけの絵を、すっかりぬりつぶしてしまって、同じカンバスに「休息する草かりたち」をかきはじめました。もちろん、それは農村の絵です。かれの故郷を題材としたもののです。これからあと、かれは農民の画家として、まっしぐらに進むことになりました。

けれども、そうするためには、パリに住んでいたのでは、だめです。パリでは、農村の風景が見られませんし、農民のモデルをさがすこともできなかったからです。そこで、ミレー夫婦は子どもをつれて、パリを去りました。それは一八四九年六月のことで、街頭に労働者の暴動の起こる直前でした。かれは、パリから五十キロほどはなれたバルビゾンという、小さな村にはいりました。そのころのバルビゾンは、教会に行くにも、郵便局に行くにも、二キロ半は歩かなければならないというような、へんぴな村でしたが、ミレーはここが気にいって、ここに落ちつくことになりました。かれの有名な作品は、多くは、ここで描かれたものです。

ミレー以前の農村の絵といえば、たいていは、ただ、わけもなくきれいな風景ばかりでした。ところが、ミレーのかいた農村は、そんな夢のようなものではありません。年をとっても、まだ働かねばならない老人が、重たいタキギのたばをしょって歩いているところとか、若い農夫が汗《あせ》にまみれて種まきをしているところとか、あるいは、農家の女たちが、ヒツジの毛を刈《か》ったり、落ち穂《ぼ》を拾ったりしているところです。ミレーによって取りあげられたものは、生きている農村の姿であり、働いている農村の人々の姿です。こういうものの中に、「美」を感じ、それを絵にしようとした画家は、今までほとんどありませんでした。ところが、ミレーは、農村の労働を、農村の人々のつつましやかな信仰《しんこう》を、はじめてカンバスの上に描きだしたのです。これは土からの画家、ミレーでなくてはできないことです。

ミレーの絵は、ただ農村を写したとか、農村の人々を描いたとかいうものではありません。その絵のうしろから、ほのぼのとしたものが響《ひび》いてきます。これは、いったい、なんなのでしょう。この点を、みなさんも、よく考えてみてください。

油断

カズサノ国（今の千葉県）に、神子上典膳（みこがみ・てんぜん）という侍《さむらい》がいました。まだ年は若かったけれども、剣道にかけては、ならぶものがないほどの腕《うで》まえを持っていました。

そのカズサノ国へ、たまたま、伊藤一刀斎（いとう・いっとうさい）という武芸の達人がやってきました。これは有名な一刀流を開いた人で、今までに、なん十度試合をしたかしれないが、ただの一度も負けたことがないという剣豪《けんごう》でした。

典膳は一刀斎がきたことを知ると、自分の腕をためすのはこの時とばかり、さっそく試合を申しこみました。一刀斎がこの道の達人であることは、典膳もよく承知していましたが、なんといっても、向こうは年よりだ。年よりでは、いくら達人でも腕がにぶっているにちがいない。おれは若いのだ。おれの若さで立ち向かったら、一刀斎にだって負けるものかと、意気ごんでいました。ところが、いざ、試合をしてみると、てんで勝負になりません。ものの見ごとに打ちすえられてしまいました。

しかし、典膳は、純情な人でしたから、その場で、一刀斎の前に両手をついて、門人にしてくれとたのみました。一刀斎もまた、典膳に見どころがあると思ったものですから、弟子《でし》にとってくれました。

そのご、典膳は一刀斎に従って、諸国を武者修行《しゆぎよう》してあるきました。そして、ますます心と腕をみがいて、ついに、一刀斎のあとつぎとなり、時の将軍徳川家康（いえやす）、徳川秀忠（ひでただ）の二代につかえて、武名を天下に高めました。小野一刀流の開祖、小野小次右衛門忠明（おの・こじえもん・ただあき）というのは、じつは、この典膳のことなのです。神子上典膳が、どうして小野忠明となったかというと、小野というのは、母かたのおじいさんの家の姓《せい》なので、その家をついだからです。また、名まえを改めたのは、二代将軍秀忠に、その功績をみとめられ、恩賞として、秀忠の名まえのうち、「忠」という字をもらったので、忠明としたのです。

のちには、かように武道の達人として重んぜられるようになりましたが、典膳がまだ一刀斎について、諸国をまわっていた時分には、ひと方ならない修行をしたものです。こんな話が残っています。

あるとき、典膳は、師匠《ししよう》にたずねました。

「剣道の極意《ごくい》は、どういうところにあるのでしょう。」

「さようさ。べつに極意というほどのものはない。ただ、油断をしないのが第一だ。」と、一刀斎は言いました。

「油断をしてはいけない。」ぐらいのことは、典膳だって知っています。だから、かれは、このことばを、それほど大事なものとは思っていませんでした。ところが、すわっている時でも、あるいている時でも、典膳に少しのすきでもあると、一刀斎は容赦《ようしゃ》なく、ポカリ、ポカリとなぐりつけてきました。

これには典膳も弱りました。まったく油断もすきもあったものではない。ちょっとでも気をゆるめると、すぐになぐられるのです。

なるほど、油断というのはこのことか、いい

気になってはだめだぞと、かれは深く思い返しました。

ある朝のことです。典膳がごはんをたべていると、また、いつものように、ポカリときました。しかし、かれも、もうだいぶ修行がつんでいましたから、「きたな」と思うや否《いな》や、ぴたっと、たべていたハシで受けとめました。

「だいぶ修行ができてきたな。そのくらい油断をしないようになれば、まあ、大丈夫《だいじょうぶ》じゃ。」

一刀斎は、微笑《びしょう》しながらほめてくれました。

この時ばかりは、典膳もうれしくてたまりませんでした。いつもなぐられ通しで、いたいめばかりみせられていたのに、初めて師匠からほめられたので、かれはほっとした気もちで、

「おかげをもちまして……」

と、うやうやしくかしらをさげました。

すると、頭がまだ、たたみにつかないうちに、いきなり、ポカリとやっつけられました。

「また、油断をはじめたか。」

ライオンと子犬

これは、もう、かなり前のことですが、ロンドンに、動物のサーカスがやってきた時の話です。

このサーカスは、たいへん評判がよかったので、毎日、大ぜいの見物人がつめかけました。むろん、見たいものは、入場料をはらいさえすれば、よいのですが、しかし、そのころは、お金をださなくっても、――たとえば、イワシとか、馬肉とか、動物のエサになるようなものを持って行けば、それでも、見ることができたのです。

ある男が、道ばたに遊んでいた子犬をひろいあげ、それをサーカスに持って行きました。その男が入場をゆるされたことは言うまでもありません。

舞台《ぶたい》では、ちょうどライオンの芸が終わったところです。皮のジャンパー、皮の長グツに身を固めた猛獣使《もうじゅう》いは、しなったムチを横にして、軽く両手でおさえながら、気どった姿勢で、お客にお礼のことばを述べていました。

そこへ、小屋の者が、子犬をかかえて、舞台にあがってきました。さっきの子犬です。子犬は、なんにも知らないので、おとなしくしています。

小屋の者は、その子犬を猛獣使いに渡《わた》しながら、何かささやきました。

猛獣使いは、かれのムチを、ヒュッと鳴らしました。

「ええ、退場しようとしておりましたところへ、ただ今、これなる動物が運ばれてまいりました。」

かれは、子犬の首を指の先でつまんで、高くつるしあげました。子犬は急につるしあげられたので、「ヒー」と、悲しそうな声をたてました。

「静かにするんだ。」

猛獣使いは、犬のあたまを手でおさえました。

「この子犬は、お客さまがお持ちくださったものです。たぶん、ご見物のみな様のおなぐさみにそなえてくれ、というお考えのように思われます。ところで、きょうは、ライオンが大層じょうずに芸をいたしましたから、もし、みな様のお許しが得られますならば、ごほうびとして、これをライオンに投げてやりたいと存じますが、いかがなものでございましょう。」

猛獣使いがこう言うと、さかんな拍手《はくしゅ》が起こりました。中には、口ぶえを鳴らすものもありました。

「お許しをいただきまして、ありがとう存じます。それでは、さっそく、ライオンに進上することにいたします。」

子犬は、首のところをつかまえられているので、苦しそうに足をぶらさげていました。もう「ヒー」とも、「キャン」とも鳴きません。

猛獣使いは、子犬をさげたまま、舞台の中央にすえてある、大きなオリの前に行きました。そして、自分の子どもにでも話すような口調で、ライオンに話しかけました。

「ピーターや。きょうは、たいへんよく働いてくれたね。お客さまから、ごほうびが出ま

したよ。これ、こんないいごほうびだ。生きているんだから特別おいしいぜ。今、投げてやるからね。けっして遠慮《えんりょ》することはないよ。お客さんの前だって、かまやしない。ムシャムシャって、やっちまうんだよ。お客さんはね、おまえさんの食事のしかたが見たいっておっしゃるんだ。いいかい。」

かれは、そう言いながら、オリの戸を少し開いて、生きた子犬を、ポーンと中にはうりこみました。

その瞬間《しゅんかん》、今までざわめいていた見物席が、急に、しいんとなってしまいました。子犬をライオンにたべさせる！　そこには、なんとも言えないスリルがあります。見物人は、さっきは、わけもなく喜びましたが、しかし、現実に、生きものが投げこまれたのを見ると、さすがに、ドキンとしたようです。

投げこまれた子犬は、死んだようになっていました。小さいからだを、いっそう、小さくして、――しっぽまでまるめてしまって、オリのすみに、ゴムまりのように、ころがっていました。

ライオンは、芸がすんでから、両足を投げだして、寝《ね》そべっていましたが、子犬が投げこまれた時にも、それほど特別な表情はしませんでした。ただ、首を少しばかりあげて、ちらっと、小さい動物のほうに、目をやっただけでした。さすがに、百獣の王といわれるだけあって、ほかの動物のように、がつがつしたところがありません。

もっとも、猛獣というものは、自分のとらえた動物が、もう逃《に》げ出せないことを知ると、半ごろしのままにしておいて、すぐには、たべてしまわない。しばらくのあいだは、たおした動物の前で、自分の勝利感を満足させ、そのうえで、ゆっくり楽しみながらたべるものだということもあるので、この場あいも、ライオンは、そういった喜びにひたっているのかもしれません。

ライオンが、ガッと飛びかかってしまえば、もう、おしまいです。しかし、起きあがりもしなければ、飛びだしもしない、ちょっと首をもたげただけで、じいっとしたままでいる、このライオンの態度は、なんとも言えず無気味なものでした。

いま、やられるか！

いま、かみ殺されるか！

見物人は手をにぎりしめたまま、見つめていました。にぎりしめていたこぶしが、かすかにふるえています。

やるもんなら、早くやっちまってくれ！

見物人は、もう見ているのがたまらなくなりました。

舞台のほうから、すうっと、つめたい風がふいてきました。

その時、ライオンが、ぬっと立ちあがりました。

見物人は、また、急に、ぎくっとしました。

立ちあがったライオンは、オリのすみにちぢこまっている子犬のそばに行きました。

そして、鼻を近づけて、においをかぎはじめました。

においをかいだあと、ライオンは、パクリとやるのだろうか。

ヒーッという、子犬の悲鳴が、今にも聞こえてくるような、けはいです。見物人は、かたずを飲みました。

しかし、ライオンは飛びかかりません。鼻の先で、小さい動物をなでているように見えます。いつまで、においをかいでいるのでしょう。

そのうちに、子犬のちぢこめていたしっぽが、少しずつ動きだしました。しっぽが動きだしたなと思っていると、今度は、子犬が、急に、くるりと、あお向けになりました。あお向けになって、両足をあげ、しっぽを前よりも大きく振《ふ》りました。おそろしい動物がそばにいるのに、これはまた、なんということでしょう。それとも、これが、「降参しました。」という表情なのでしょうか。

ライオンは、あお向けになっている子犬を、しばらく見ていましたが、やがて、まえ足で、小さい動物のからだに、軽くさわりました。子犬は、バネじかけの動物のおもちゃのように、また、くるりと起きあがりました。起きあがって、ちんちんでもするように、ライオンの前に、あと足で立ちあがりました。

それは、じつに、こっけいな形でした。こっけいと同時に、あわれむべき姿でもありました。しかし、だれ、ひとり、笑うものもありません。あまりに緊張《きんちょう》した場面だったので、この小さい動物のおかしな動作が、おかしいというよりは、いじらしく見えたからです。

ライオンは、ゆるく首をふりながら、子犬の動作をながめていました。けれども、それ以上、べつに、どうしようとする様子もありませんでした。

緊張がひとりでにゆるみ、見物席の中から、ため息に似たものが流れました。それは、むごたらしい場面を見ないでよかったと、いう気もちもありましたろうし、それが見られないので、がっかりした、という意味も、ふくまれていたかもしれません。

しかし、こまったのは、猛獣使いです。これでは、引っこみがつきません。「さあ、遠慮なくムシャムシャやるんだよ。」なんて言っておいたのに、ライオンは、一番かんじんなことをやってくれなかったからです。もちろん、かれは、猛獣使いとして、オリのそとから、ずいぶん、けしかけたのですが、きょうは、どうしたのか、ライオンが、かれの言う通りに動かなかったのです。

猛獣使いは合い図をして、楽屋から、馬肉の大きなかたまりを持ってこさせました。かれは、それをあたえることによって、ライオンに、ライオンの本性《ほんしょう》をよみがえらせよう、と考えたのです。血のしたたる肉をやったら、それに味をしめて、ライオンは、きっと子犬に飛びかかるにちがいない。そうすれば、お客さんにも満足があたえられるし、この余興のしめくくりもつけられると思ったのです。

商売熱心な猛獣使いは、まず、鉄の格子《こうし》のあいだから、ムチを入れて、ライオンをじらし、ライオンの野性を、できるだけ、かり立てるようにつとめました。そうして、ライオンの気をいらだたせておいてから、かれは、まっかな馬肉を、オリの中にほうりこみました。

ライオンは、すぐに馬肉に飛びつきました。それは骨つきの、かなり大きな肉でした。が、ライオンは、それをまず、二つに引きちぎりました。そして骨のついていないほうの肉を、さらに小さくかみ切って、子犬の前へ、ポーンとほうりました。

子犬はびっくりして、ライオンのほうを見ました。

しかし、ライオンは、子犬にはかまわず、骨つきの肉に、かぶりつきました。

ライオンが食べだしたのを見ると、子犬もしっぽをふりながら、自分にあたえられた肉を食べ始めました。食べながら、子犬はちょこんと頭をあげては、ライオンのほうを、のぞきこみます。のぞいて見ては、また、急いでがつがつと肉を食べます。ライオンのほうも、ガリッと骨をかみくだきながら、ときどきよこ目で子犬を見ています。それは、まるで、親子のようでした。

猛獣と家畜《かちく》の子ども、全くちがった二ひきの動物が、同じオリの中で、一片《ぺん》の肉を分け合って、食べている。これは、いったい、なんとしたことでしょう。

猛獣使いはあっけにとられました。これでは、せっかくの猛獣が猛獣になりません。かれは、なんとかして、ライオンの、ものすごいところを見物に見せたいとあせりました。

突然《とつぜん》、見物席の片すみから、拍手がおこりました。猛獣使いは、面くらいました。なんの拍手だか、わからなかったからです。

ところが、その拍手がきっかけとなって、あちらからも、こちらからも拍手がおこり、場内は、あらしのような拍手でつつまれました。それを聞いた時、猛獣使いは、はっと胸をつかれました。かれは、すぐ身じまいをとり直し、ていねいにお辞儀《じぎ》をしながら、見物に言いました。

「みなさん。ありがとうございます。ありがとうございます。みなさんの力づよい拍手は、わたくしの心の底までひびいてきます。わたくしが、みなさんを喜ばせようとしたことは、ものの見ごとに失敗しました。しかし、わたくしの夢想もしなかったことが、みなさんを喜ばせています。わたくしは、こんなうれしいことはありません。」

どうせ、おんなじ

みなさんにもなじみの深い「ガリヴァー旅行記」の作者、スウィフトが、ある時、下男（げなん）をつれて、いなかを旅行したことがありました。

朝、宿やを出かけようとすると、下男が、どろだらけの長グツを持ってきて、スウィフトの前にそろえました。

スウィフトはむっとしました。

「おい、これは、どうしたんだ。あらっておかなかったのかい。」

「あいすみません。だんな様。でも、あらったって、おんなじことでございますよ。きょうも、また、どろんこの道をお歩きになるんですから……。」

それを聞くと、スウィフトは、だまって、その長グツをはきました。

ふたりは、ぬかるみの多い、いなか道をとぼとぼ歩いているうちに、やがて昼になりました。下男は腹が減ってきたので、昼食をとりたいと思いましたが、主人は平気な顔をしています。

下男はたまらなくなって、

「だんな様、とうにお昼が過ぎましたよ。」

と、気をひいてみました。

しかし、スウィフトは、「ああ、そうかい。」と言っただけで、どんどん歩いています。

「だんな様、どこかで、お昼食をなさいましては……。」

また、さいそくされたので、皮肉なスウィフトは言いました。

「なに？　昼食だって。よせ、よせ。今たべたって、どうせ、また腹がへるにきまっているよ。」

製本屋の小僧さん

一、ファラデーという人

みなさんは、電気といえば、すぐに、エジソンの名を思い起こすでしょう。エジソンは電灯を発明した人であり、今日、電灯のおかげをこうむっていない人はまずないのですから、電気とエジソンの名まえが、あなたがたの頭の中で結びついているのはもっともなことです。けれども、みなさんの中には、電気ということばを聞いてファラデーという名まえを思い起こす人はそれほど多くないのではありますまいか。私は、電気と結びつけて、ファラデーという名まえも一つ、みなさんにおぼえておいていただきたいと思います。

マイケル・ファラデーは、トマス・アルヴァ・エジソンよりも五十六年まえの一七九一年に生まれた、イギリスの化学者、物理学者です。この人は、電気学がまだ生まれたての赤んぼうのように幼稚《ようち》だった時代に電気学の研究に志して、電磁誘導（でんじゆうどう）の法則という大切な原理を発見しました。いま使われている発電機や電動機は、かれの発見したこの原理をもとにして組み立てられたものです。今日では、ちょっと考えてみただけでも、電灯、電車、電信、電話、ラジオ、テレビ、電熱器、電気せんたく機、などというものが、私どもの毎日の生活と密接な関係を持っています。まったく電気の力にたよらない生活というものは考えられないといってもいいくらいです。近い将来に、おそらく、原子力時代というものがくることになるのでしょうが、そうなったら電気の利用はいよいよさかんになるのではないでしょうか。いずれにせよ、今日の時代は、これを電気時代とよんでさしつかえありますまい。そして、今日のこの電気時代は、まったく、ファラデーの発見した電磁誘導の法則を原理として生まれた発電機、電動機の力によって成り立っているものです。私が、みなさんにファラデーという名まえを知っておいてもらいたいとお願いしたわけが、これでわかっていただけたことと思います。

もちろん、ファラデーは、ただ、電磁誘導の法則を発見しただけではありません。化学の方面でも、物理学の方面でも、まだまだたくさんの業績を残しています。しかし、私は科学者ではありませんから、ここで、みなさんに科学のお話をするつもりはありません。それよりも、私は、どうして、かれがこんな立派な学者になって、人類の幸福のために、みごとなおくり物をすることができたかということについて、少しお話ししてみようと思うのです。

二、本が話しかける

マイケル・ファラデーは、テムズ川の南がわにあるニューイントン・ブッツという土地で生まれました。そのころ、そこは、ごくさびしいロンドンの郊外《こうがい》でした。そして、かれの生まれた家は、そのさびしい郊外にある貧《びん》乏《ぼう》なカジ屋でした。

マイケルの家は、時には、政府から生活保護費の支給を受けなければならなかったほど

の、ひどい暮らしをしていました。そこで、かれは小学校を終わるか終わらないうちに、さっそく奉公《ほうこう》にいかなければなりませんでした。そんなわけで、かれは十三歳《さい》の時に、ロンドンのブランドフォード町に住むジョージ・リーボーという製本屋さんの小僧になりました。七年間の約束の年期奉公でした。おとうさんと同じ労働者になって、頭を使うかわりに筋肉を使って一生を過ごすことが、マイケルにあたえられた運命だったのです。

かれは、からだはほっそりしていましたが、元気で、すなおな少年でした。そのうえ勤勉で、ほね身をおしまず、よく働きました。これだけ、よいところがそろっていれば、だれにだって気にいられないはずはありません。かれは、親方のリーボーさんにかわいがられて、積みあげられた紙のあいだで、ニカワのにおいをかぎながら、熱心に製本の仕事にはげみました。こうして、かれは、そのまま、立派な製本職人になって、無事に一生を送ることになりそうに見えました。

ところが、そのうちに、マイケルはおもしろいことに気がつきました。

かれは、ある日、いちにちの仕事を終わって、やりかけの本をかたづけている時、なにげなく、その本をあけてみました。ページの上には無論活字がならんでいます。かれは、そのならんでいる活字を目でたどっていきました。すると、どうでしょう。

本の中から、人がマイケルに向かって話しかけてくるではありませんか。かれは一生けんめいにその話を聞こうとしました。かれの目は次から次へと、そこに印刷されている活字を追いかけました。それは、ワッツという人の書いた「こころ」という書物でした。聞きなれないことばが出てきて、よくわからないところもありましたが、人の心というものが、どういうぐあいに動くものかということを、マイケルにおもしろく話してくれます。かれの心はすっかりその書物の中へすいこまれていきました。

「おい、マイケル、早くかたづけちまいなよ。じき晩飯になるぜ。」

不意にリーボー親方に声をかけられて、マイケルはびっくりしました。そして、まだ夢からすっかりさめきれないような気もちでしたが、急いで後かたづけをすませました。

この経験は、マイケルの一生に大きな変化をあたえることになりました。それは、この経験が、かれに読書の喜びを教えてくれたからです。もちろん、かれは、それまで、まるで本を読んだことがなかったわけではありません。小学校に通っている時に教科書を読まされたことだってあるわけです。しかし、教科書を読まされた時には、書物の中から人が自分に向かって話しかけてくるというような気もちを味わうことはできませんでした。教科書の中へ、からだごと、すいこまれていくような心もちになった経験は一度もありませんでした。本を読むことの本当の楽しさを知ったのは、こんどがはじめてでした。

そうはいっても、かれは製本職人です。やりかけの仕事をおっぽり出して、なか身を読んでいるわけにはいきません。そんなことをすれば、ぬっておいたニカワがバリバリにかわいてしまって、手がつけられないことになります。だから、かれが読むのは、いつも、仕事にとりかかる前か、仕事のすんだあとにきまっていました。

マイケルは、ちょうど、なんでも知りたい年ごろでした。かれは、製本するために自分に当てがわれた本を手あたり次第《しだい》読みました。雑多な知識がかれの頭に流れこみました。上の学校へ行くことのできなかったかれは、こうして、本を学校のかわりにして勉強しました。

しかし、どこの世界にも、よけいなおせっかいをする人があるものです。マイケルが夢中になって本を読んでいるのを見て、小僧のくせに本を読むのはなまいきだ、第一、あんなふうになまけさせておくのは当人のためにならないと、リーボー親方に忠告する人が出てきました。すると、リーボーさんは、こんなふうに返事をしました。

「なあに、あの小僧が本を読んで一時間やそこらむだにしたって大したことはないさ。あれで仕事はなかなかよくやるんだからね。それに、いくら小僧だって、仕事を一生けんめいやったあとで、知識のおこぼれくらい拾う権利はあろうってもんだよ。」

まったく、リーボーさんはいい親方でした。かれは、本を読むことでマイケルにこごとを言うどころか、かえって、

「マイケル、読みな、いいから、うんと読みなよ。なあに、仕事をなまけさえしなけりゃあ、いくら読んだってかまやしねえよ。本のそとがわとうちがわの両方のことをおぼえたからって、何も製本職人の腕《うで》にきずがつくってものでもあるめえからな。」

と、言って、マイケルをはげましてくれました。この親方のやさしい気もちが、どれほどマイケルをはげましてくれたかわかりません。

三、科学への第一歩

マイケルは本を読んで勉強するようになったとはいうものの、だれひとり指導してくれる人があったわけでなく、また、自分のすきな本を選んで読むという自由さえ持っていなかったのです。ただ、偶然《ぐうぜん》、製本を命ぜられた本を、かたっぱしから読むだけのことでしたから、かれの頭につめこまれる知識は、まったくばらばらな、まとまりのないものでした。どうしたって、学校で組織だった知識を系統的に教えられるよ

うなわけにはいきません。かれの勉強には中心がなく、方向がなかったのでした。

そんなふうな毎日を過ごしているうちに、ある時、かれはなん十さつもで、ひとそろいになっている百科事典を製本するようにいいつけられました。いつものように、その大きな本のページをめくっていくうちに、「電気」という見出しの文字がかれの目の中へ飛びこんできました。かれは、これまで、まだ「電気」ということばに一度もぶつかったことがありませんでした。電気？　電気とは一体なんだろう。

マイケルは、その「電気」という項目《こうもく》の解説をむさぼるように読みました。前にもちょっとお話ししたように、そのころは、まだ、電気というものの正体が人によくわかっていない時代でした。ただ、電気という、ふしぎなものが存在して、これがある種の働きをするということが、少数の学者たちに知られていただけでした。コハクとかガラスなどを布で摩擦《まさつ》すると電気が起こるということがわかっていました。そして、例のアメリカのベンジャミン・フランクリンが雨の中でタコをあげて、その電気と雷《かみなり》とが同じものだということを証明してから、やっと、五十年しかたっていないという時代でした。

そういうわけですから、マイケルが読んだ百科事典の解説も、ごく簡単なもので、今日の目から見れば、かれに大した知識をあたえることはできなかったにちがいありません。

けれども、マイケルは電気ということばさえ知らなかったのです。そういうふしぎなものがあるということを知っただけでも、かれに取っては、ひと方ならぬおどろきでした。かれは、その解説を読んでいるうちに、何かキラキラした火花が自分の頭の中で飛び散るような気がしました。そして、「よし、この電気というもののことを残らず調べあげてやろう。」という気もちを起こしました。

ここで、ちょっと、みなさんといっしょに考えてみましょう。マイケル・ファラデーは百科事典のページをパラパラとめくっていたのですから、ずいぶんいろいろの見出しの文字を見たにちがいありません。花のこと、動物のこと、鉱物のこと、政治のこと、経済のこと、哲学《てつがく》や宗教のこと、美術や音楽のこと、詩や小説のこと、それらについての見出しの文字も見たにちがいありません。それにもかかわらず、どうして「電気」という文字だけが、かれの目の中に飛びこんできて、かれをとらえたのでしょうか。これはまことにふしぎなことです。しかし、私は、「電気」という文字だけがマイケル・ファラデーの目の中へ飛びこんできたことは、単なる偶然だとは思いません。このことは、人間の天分という問題に関係があるような気がするのです。まして、かれが、電気についての解説を読んで強く心を動かされ、電気の正体をつきとめたいという気もちになったのは、たしかに、かれが科学者としての天分にめぐまれていたからのことです。

ここで、みなさんに、前に読んだ「動物ずきのトマス」という話を思い起こしていただきたいと思います。かれは動物学者になるのに適当な天分を豊かにめぐまれていました。しかし、そのほうの系統だった勉強をおこたったために、とうとう、立派な学者になることができなかったのでしたね。それでは、ファラデーはどんなふうにして、その天分をのばしていったのでしょう。

四、自分を知る

その後かれは、「化学実験法」という書物の製本をたのまれたことがありました。例によって、製本のあいまにこの本を読んでいるうちに、かれは、これほどおもしろい本を、これまで読んだことがないと思うようになりました。それで、かれは、その本の中で特に自分の興味を引いた記事を書き写しておきました。無論、必要な図版を写し取っておくこともわすれませんでした。それから、わずかばかりのこづかいのはいっている財布《さいふ》の底をはたいて、安い簡単な実験器具を買いこみました。

こうして、マイケル・ファラデーは「化学実験法」に書いてあったとおりの方法で、生まれてはじめての実験を試みました。すると、あの科学特有の正確さで、書物に書いてあるとおりの結果が出てきました。それを見ると、かれの心には、何ものにもたとえることのできない満足の思いがわき起こりました。かれは、自分の持っているわずかな実験器具ととぼしい資金でやれる実験を次から次へと試みました。思うとおりの結果が出ない時には、自分がやった実験の手順を、もう一度、本に示されている方法と入念に照らし合わせて研究しました。すると、かならず、自分の手順にどこかまちがいがあることが発見されました。まちがいなしに、本に書いてあるとおりやりさえすれば、まちがいなしに、本に書いてあるとおりの結果が出てきます。マイケルには、それが愉快《ゆかい》でたまりませんでした。

マイケルはまだ少年だったのですから、童話の本や少年小説の本にまるで興味がなかったわけではありません。しかし、かれには、そういう作り話より、本当の話、実験によって、自分で確かめることのできる話のほうがおもしろかったのでした。かれはそういう生まれつきだったのです。ずっとのちになって、かれは、「実験をやってみて、それが本に書いてあるとおりだということがわかるほど心づよいことはない。」と言っています。

マイケルは、前に読んだ電気のことについても、手もとにある道具で間に合ういくつかの実験を試みました。そして、百科事典に書いてあったことがまちがいでないことを確かめることができました。

製本小僧マイケルの中にねむっていた科学者の精神は、もうこのころには、すっかり目をさましたのだと言ってよいでしょう。

かれは、科学書に手をふれる機会があるごとに、かならずそれを読むようにしました。こうして、かれが吸収する知識は、やっと、中心と一定の方向とを持つようになりました。かれは、さかんな知識欲をもって科学の世界へ突進《とっしん》しはじめたのです。

しかし、かれの行く手には無数の障害物が横たわっていました。第一、かれは、何よりもさきに、まず製本職人としての任務を果たさなければなりません。本を読んだり、考えたり、実験をしたりすることが許されるのは、わずかにその余暇《よか》に過ぎませんでした。実際、かれは、製本職人としてあたえられた仕事を、ひと一倍立派に果たして、残りの時間を科学の勉強に当てたのでした。また、かれが、ひどく貧しかったということも勉強のさまたげになりました。書物や実験の器具、用品を思うように買うことができなかったからです。その上、正規の学校教育を受けていなかったことも、かれの勉強を困難なものにしました。つまり、かれはあまりにもとぼしい知識しか持っていなかったのです。特に数学の知識に欠けていることは、いろいろの科学上の問題を理解する上に、大きな不便でした。

しかし、マイケル・ファラデーは科学上の天才でした。天才の精神が、その志すところへ向かって猛進《もうしん》する時には、行く手をはばむあらゆる困難、あらゆる障害物を、あるいはおどりこえ、あるいはくぐりぬけ、あるいは突《つ》き破って進んでいくものです。天才ファラデーの精神は自分の道を見つけました。マイケル少年は自分を知りました。かれは、自分の前に、はっきり見えだしたただひと筋の道を、何がなんでも、まっしぐらに走って行きたくてたまりませんでした。

五、勇　気

ロンドンに王立科学研究所というのがあります。これは科学奨励《しょうれい》の機関でありまして、ここでは専門の学者が化学や物理の研究に従事するばかりでなく、専門家でない人にもよくわかるように科学の講義をしたり、実験の指導をおこなったりすることになっています。この研究所は一七九九年に設立されたものですから、製本屋の小僧《こぞう》さんのマイケルが科学の勉強に夢中になっていたころは、創立後十二、三年たったばかりの時だったわけです。そして、当時、世界的な学者として有名だったサー・ハンフリー・デイヴィがここで一般《ぱん》の人のために講義をしていました。

さて、マイケルは、いつのまにか、すっかり科学と実験のとりこになっていました。そして、今では、製本をたのまれる科学書を読み、簡単な実験を楽しむだけでは、どうしても満足できなくなりました。かれは、なんとかして、王立科学研究所へ行って、デイヴィ先生の講義を聞きたいものだと考えました。しかし、年期奉公《ぼうこう》の製本小僧の貧しいポケットに、王立科学研究所の聴講料《ちょうこう》をはらうような金のあろう道理がありませんでした。

マイケルが、どうしたら講義を聞きに行くことができるだろうと考えふけっている時に、ひょいとかれの心にうかんできた一つの顔がありました。その人は、背の高い人で、いつも黒い服を着て、店へ科学書の製本をたのみにくるお客さんでした。用事のほかには、ろくろく口もきかないような人でしたが、マイケルはこの人の目の色がすきでした。それは、おだやかで、どことなくあたたかいものをたたえていたからです。

ある日の夕がた、ちょうど、リーボー親方が外へ出ている時に、このお客さんがたずねてきました。マイケルは、製本のできあがっていた書物を渡《わた》したあとで、思いきって口をきりました。

「お客さん、わたし、少しお願いしたいことがあるんですけど——」

客は、だまって、マイケルの顔を見ました。

マイケルは少し顔を赤くして、あとをつづけました。

「わたし、王立科学研究所でデイヴィ先生の講義が聞きたいんです。けれども——」

ここまで言うと、かれは、急に胸がドキドキして、舌がこわばってきました。こんな、ぶしつけなことを言いだして、もし、ひどくおこりつけられたらどうしよう。そう思うと、もう、どうしても、あとのことばが出てきません。しかし、客の目は、あとをお言いなさいと静かにうながしています。マイケルは、思いきって、あとのことばを一気にしゃべってしまいました。

「わたし、聴講券を買うお金がないのです。お客さん、わたしに聴講券を買ってくださるわけにいかないでしょうか。」

客は、はじめのうち、あっけに取られたような顔をしていました。しかし、やがて、そのくちびるが、わずかにほころびて、かすかな微笑《びしょう》をもらしました。

「これでお買いなさい。」

客は、なにがしかの金を紙入れから取りだして、マイケルの手に渡しました。

それは、デイヴィ先生の講義を四回だけ聞くことのできる金額でした。

マイケルは、親切なリーボー親方の許しを受けて、さっそく、王立科学研究所へデイヴィ先生の講義を聞きに行きました。

デイヴィ先生は早くから有名になった科学者で、その時、まだ三十三歳《さい》でした。それにもかかわらず、かれは、当時ヨーロッパから渡ってきた新発明の「電池」を使って、いろいろな化合物の「電気分解」の実験に成功したというので、フランスの皇帝《こうてい》ナポレオンから賞金を授《さず》けられたりして、世評の高い人でした。それにまた、講義が非常にじょうずだと評判されていました。

生まれてはじめて科学の教室に席を持つことのできた製本屋の小僧さんは、からだ全体を耳にして、デイヴィ先生の講義を聞きました。講義を理解するために働く頭、講義をノートに筆記するために休みなく活動する手——王立科学研究所を出てきたマイケルは、頭もからだも、くたくたにつかれていました。けれども、かれは、その晩すぐに、せま苦しい自分の部屋で、ノートをすっかり整理して清書する仕事にかかりました。これはなかなか大変な仕事で、一回分の講義ノートをひと晩で整理することは、とてもできませんでした。整理にかかってみると、書きもらしている個所があとからあとから出てきます。かれは、それを思いだしては、補っていきました。四日間王立科学研究所へかよって、そのあと、いく晩かかかって、ノートを整理しているうちに、マイケルは、手が痛くなり、頭がふらふらしてくるほどでした。

マイケル自身は、まだ、そこまで気がついていませんでしたが、実は、このデイヴィ先生の講義を聞きに行ったということが、あとになって、かれの一生を大きく決める重大なでき事になったのでした。

六、失　望

マイケルがデイヴィ先生の講義を聞きに行ったのは、かれが二十一歳の時でした。この年にマイケル・ファラデーの身の上に一つの変化が起こりました。

かれは、リーボー親方のところでの七年の年期奉公を勤めあげて、もう、立派な一人まえの製本職人になっていました。かれは、今では親方が折り紙をつけてくれるほどの、腕《うで》のたしかな職人でした。そこへもってきて、ちょうど、母親といっしょに暮らさなければならないという事情が起こってきました。

そんなことで、マイケルはリーボーさんの店を出て、新しく部屋を借り、そこに母親とふたりで住み、こんどはキングズ町のデ・ラ・ローシュさんという製本屋へかようことになりました。

ところが、このデ・ラ・ローシュ親方は、リーボー親方とは打って変わったやかまし屋でした。ひどく、おこりっぽい人で、何ごとによらず、考えることはあと回しにして、まずまっさきに、がみがみとどなりつけるというやり方です。その上、こまったことには、マイケルに取って一番大事な問題について、リーボーさんと全く正反対な意見を持っていました。つまり、デ・ラ・ローシュ親方は、製本屋は製本するのが仕事なのだから、製本職人は本の外がわだけにしか興味を持ってはならないという意見でした。だから、マイケルが製本しかけた本をあけて、ちょっとでも中をのぞいていると、たちまち雷が落ちてきます。

「ばかやろう！　また読んでるな。本のなか身が、いってえ、職人になんの関係があるってんだ。リーボーはおめえをあまやかしたようだが、ここじゃ、そんなこたぁ、させとかねえぞ。」

デ・ラ・ローシュ親方は、本を読む人間がよっぽどきらいだと見えて、マイケルが自分の本を仕事場へ持ってきておいて、ひまな時にちょっと読むことさえ許しませんでした。かれの意見に従えば、本を読みたがるようなやつは、ろくな職人になれないと言うのです。

「そら、また読んでいやぁがる！」

マイケルが、ちょっとでも本を読んでいると、すぐに、けんつくが飛んできます。

かれはなさけなくなってきました。そして、それといっしょに、だんだん、製本の仕事にいや気がさしてきました。これは、当然なことで、もともと、かれの科学への興味が高まれば高まるほど、ほかの仕事に対する興味がうすれてくるのは、まことに、やむを得ないことでした。かれは、とうとう、製本の仕事を、なんとかして、やめたいと思うようになりました。

かれは考えました。製本屋をやめるのはいいが、おれは、なんとかして自分の力で食っていかなければならない。いや、自分だけではない、母もたべさせていかなければならないのだ。製本のほかに何かおれにできる仕事があるだろうか。その時、「科学」ということばが頭にうかんできました。そうだ、科学の勉強をすることが、食うことと結びつけば、これにこしたことはないのだ。だが、おれは、科学の専門家ではない。科学者としてのなんの資格も持っていない。数学さえろくろく知らないのだ。おれの科学に金をだしてくれる人なんかあるわけがない。

そこまで考えると、かれは行きづまってしまいました。そして、そのまましばらく、考えあぐねていました。すると、「科学の年期奉公」という考え方にひょいとぶつかりました。

「科学の年期奉公」——そうだ、おれは、製本の年期奉公をして、たべさせてもらいながら製本の技術をおぼえたのだ。年期奉公のようなことをしながら科学の勉強をすることだってできないはずはあるまい。そうだ、これにかぎる。どこかの実験室の助手に使ってもらうんだ。そして、その給料で、どんなに、ほそぼそとでもいいから、母とふたりで暮らすことにしよう。

この決心ができると、かれの気もちは明かるくはずみました。だが、だれにたのんだら、その助手の口を世話してもらえるだろうか。かれが相談に行けるところといったら、リーボー親方の店だけでした。しかし、どう考えても、リーボー親方に、どこかの実験室へ紹介《しょうかい》してもらえそうな見こみはありませんでした。

道はそこでまた断ち切られてしまいました。

しかし、マイケル・ファラデーは、一たんこうと思い立ったことはどこまでもつらぬかずにおかない根づよさを持っていました。また、静かな、おとなしい青年ではありましたが、いざという時には、進んで困難にぶつかって行く勇気を持っていました。

かれは、いくたびか考えた末に、王立学会の会長バンクスという科学者にあてて手紙を書きました。王立学会というのは王立科学研究所と同じような性質の機関で、これも当時有名な科学研究所でした。マイケルの手紙には、自分は科学を一生の仕事にしたいと思っている青年ですが、どんな仕事でもいとわないから使っていただきたいということが、こまごまと、したためてありました。かれが、親しく講義を聞いたことのある王立科学研究所のデイヴィ先生に手紙をださないで、どうしてバンクス先生のほうに手紙をだしたのかはよくわかりません。おそらく、そのころデイヴィ先生の評判があんまり高かったので、気おくれがして、遠慮《えんりょ》をしたのでしょう。

手紙を出したあとのマイケルは、ただ待つほかありませんでした。かれは、いやでたまらないデ・ラ・ローシュ親方の店へかよって、気の進まない製本の仕事をしながら、毎日、手紙の返事を待ちました。三日、一週間、十日――二週間待っても返事はきませんでした。バンクス先生は返事をくださらないつもりだな。だんだん心ぼそくなってきたマイケルは、そうあきらめるといっしょに、すっかりしおれ返ってしまいました。

これは返事のこないのがあたりまえだったかも知れません。いそがしい王立学会の会長が製本屋の小僧さんの手紙にまで、いちいち返事を書いているひまはないというのも無理のないことでした。

しかし、マイケルにしてみれば、考えに考えたあげく書いた手紙だけに、なんともやりきれない気もちでした。

七、心ぼそい約束

マイケルは元気なく日を暮らしているうちに、リーボー親方の顔が見たくなりました。そこで、ある日、製本の仕事をすましてデ・ラ・ローシュの店を出ると、そのまま、ブランドフォード町に足を向けました。

「どうした。元気がないじゃないか。」

リーボー親方は、マイケルの顔を見るとすぐ、遠慮のない調子で言いました。

マイケルは、バンクス先生に手紙をだしたことを、くわしく話して、この先、どうしたらいいのかわからなくなって、こまっているのだと打ち明けました。

「ふうん。」

リーボー親方は、うなるように言って、しばらくだまっていました。それから、顔をあげて、こう言いました。

「なあ、マイケル、おまえ、おれはやっぱりデイヴィ先生のほうに手紙をだしたらよかったと思うんだがな。そら、おまえ、デイヴィ先生の講義を清書したノートを持っているだろうが。あれを手紙につけていっしょに送るんだ。そうすれば、おまえが、どれほど熱心に科学の勉強をしたがっているかってことがわかろうってもんじゃないか。」

それを聞くと、マイケルは、自分の心の中に、パッと明かりがついたような気がしました。そして、リーボーさんはいい親方だなあと、あらためて、そう思いました。

かれの目の前には、また、ほそぼそとひと筋の道が見えはじめたのです。

マイケルは心からリーボー親方にお礼を言って、教えられたとおりにやってみますと答えました。そして、その晩、帰るとさっそく、かれはデイヴィ先生に、ぜひお目にかからせていただきたいと、一心こめて手紙を書きました。そして、よく朝、講義のノートをそえて、その手紙を王立科学研究所あてに発送しました。

マイケルは、もとより、デイヴィ先生がかならず返事をくれるものとは思っていませんでした。ただ、万に一つをたのみにしていただけです。あのえらい先生は、きっと、バンクス先生と同じように、製本屋の小僧《こぞう》に返事を書くひまなどないにきまっているのだ。かれは、心の中で、自分に言って聞かせました。

ところが、デイヴィ先生は製本屋の小僧マイケルのところへ返事をよこしたのです。

こうして、デイヴィは偉大《いだい》な科学者マイケル・ファラデーの名誉《めいよ》ある発見者となりました。

デイヴィからマイケルのところへきた返事には、面会の日どりまで指定してありました。

一八一三年の一月の終わりごろのある日、マイケル・ファラデーは、胸をわくわくさせながら、王立科学研究所の門をくぐりました。

ちょっと待っていると、まもなく、有名な科学者ハンフリー・デイヴィが控室（ひかえしつ）へはいってきました。立派な服をつけた威厳《いげん》のあるその人の姿が自分のすぐ前に立つと、教室で見た時とちがって、マイケルは、何か目に見えない力が自分のほうへおし寄せてくるような気もちがしました。急に自分のからだが、ちぢんで小さくなっていくような心もちです。

「一つ、ご希望をあなたの口から直接うかがいましょう。」

そう言って、デイヴィはまず自分がイスに腰《こし》をおろして、かれにも、席につくようにすすめました。

マイケルは、イスのはじに、ちょこんとすわりましたが、さて、急には口をきくことができませんでした。かれは、つばをぐっと飲みくだして、やっと、小さい声で、始めました。

「わたくしは、科学者の仕事より立派な仕事は、この世にないと思います……。」

そう切りだして、かれは、聞いてもらっておかなければならないこと、つねづね自分が考えていることなどを、かなりこまかく話しました。しかし、かれのその話は、どうひいきめに考えても、あまり順序よくまとまっていたとは言えませんでした。

デイヴィは、途中《とちゅう》で口をはさむようなことはしないで、青年の話すことを、にこやかな顔で聞いていました。

最後に、マイケルは特に力をいれて言いました。

「それで、わたくしは、ぜひ、この研究所の実験室の助手に使っていただきたいのです。」

聞き終わると、デイヴィは、ゆっくり口をひらきました。

「よくわかりました。しかし、科学者の仕事だけが立派な仕事だというあなたのお考えは、どんなものでしょうね。まあ、このことは、あなたがもう少し年を取って、世間を知るようになればわかることですから、ここでは問題にしないことにいたしましょう。ただ、科学者の仕事が、どんなに、やっかいで、困難なものかということと、そのわりに、むくいられることがうすいものだということとは、どうしてもお話ししておかなければなりません。一人まえの科学者になるということは、とても、あなたが考えているほど、たやすいことではありませんよ。」

そんなふうに話しだして、デイヴィは、結局、マイケルに、科学者になることをあきらめて、せっかく習い覚えた製本職人として暮らすことをすすめました。

「わるいことは言いません。ぜひ、そうなさい。第一、そのほうが安全です。」

そう言いきられて、マイケルは、一時に、目の前がまっくらになったような気がしました。かれは、自分の顔をつつむやみを追いはらうように、激しく首をふりました。

「わたくしは、安全でなくてもいいのです。どんなにつらくとも、きっと、がまんします。どうか、ここの実験助手にお使いください。お願いします。」

デイヴィは、こんどは、しばらく返事をしないで、じっと、マイケルと目を見あわせたままでいました。

暖炉《だんろ》で燃えている石炭の、パチパチはぜるかすかな音がしました。

「そうですか。」やがて、デイヴィが静かに言いました。「それほどに言うのなら、あなたがここで働けるように、できるだけ骨を折ることを約束しましょう。しかし、今はだめです。欠員がありません。欠員ができて、あなたにきてもらえるようになったら、手紙をあげます。半としさきになるか、一年さきになるか、それは、わたくしにもわかりません。その時になっても、あなたの気もちが変わっていなかったら、おいでください。これ以上の約束はできません。」

これで話は終わりました。マイケルは帰るよりほかありませんでした。

かれは、ていねいに礼を述べ、あいさつをして、部屋を出ました。

考えてみると、マイケルは、なんの約束もしてもらえなかったのと同じだと言えないこともありませんでした。欠員ができたら知らせてくれるというのですが、それは、いつのことになるか知れないのです。

かれは、バンクス先生のところへ手紙をだした時のことを思いだしました。待つことのつらさは、すでに経験ずみでした。

マイケルは、力なく、デ・ラ・ローシュ親方の店のあるほうへ足を運んで行きました。

八、馬　車

マイケルがはじめてデイヴィと会見してから、もう一カ月あまりの日が過ぎ去りました。

三月にはいって間のないある日の夕がたでした。マイケルはおかあさんとふたりで、みじめな自分の部屋の窓ガラスごしに、人どおりの少ない、さびしい往来をぼんやりながめていました。その日は仕事がひまだったので、早めに、デ・ラ・ローシュの店から帰ってきていたのでした。

　不意に、一台の馬車が、目の下の通りへはいってきました。黒びかりのするりっぱな馬車でした。これはめずらしいことです。マイケルたちが住んでいるウェイマス町は、みすぼらしい場すえの町ですから、黒ぬりの馬車など見かけることは、めったにありませんでした。

「おや、どうしたんだろう、おかあさん、立派な馬車がくるよ。」

「どれどれ、おや、ほんとに立派な馬車だね。どこのうちへ行くんだろう。」

　ところが、おどろいたことに、その馬車は、ふたりがのぞいている窓の下でぴたりととまりました。

「おかあさん、このうちへきたんだよ。」

「へえ、こんなうちのだれに用があるっていうんだろうね。」

　馬車からは、飾りえりのついた立派なコートを着た馬丁《ばてい》がおりてきて、マイケルたちが部屋を借りている家の入り口へはいってきました。それを見ても、マイケルとマイケルのおかあさんとは、家の前にとまった馬車が自分たちとかかわりのあるものだとは考えませんでした。

馬丁が入り口へはいったと思うと間もなく、マイケルの部屋のドアが、ノックの音もなしに、いきなり、パッとあきました。

「マイケルさん、大変だよ、馬車できたお使いの人が、おまえさんにご用だとさ。」

宿のおかみさんが、息を切らしながら言いました。

聞くといっしょに、マイケルは、バネじかけの人形のように飛びあがって、玄関《げんかん》へかけだしました。

「マイケル・ファラデーさんですね。」

馬丁は、たしかめるように言って、一通の手紙をマイケルの手に渡《わた》しました。

マイケルは、その場で封《ふう》を切りました。

ファラデーさん。

あすの朝、王立科学研究所へおいでください。

デイヴィ

この短い手紙の文句は全体としてマイケルの目に飛びこみ、そのまま、かれの頭に焼きつけられました。

「きっと、あしたの朝、うかがいますと申しあげてください。」

マイケルが答えると、馬丁は一礼して帰って行きました。

マイケルは、部屋へ帰ると、デイヴィの手紙をおかあさんにも見せ、自分でも、くり返し、くり返し読みなおしました。

それから朝まで、マイケルは、こんなに果てしなく続く長い夜というものを、これまで経験したことがありませんでした。

あくる日の朝、マイケルは王立科学研究所へ行って、この前と同じ控室でデイヴィ先生に会いました。

「実験室の助手に欠員ができたので、お約束どおり、おいでを願いました。しかし、給料は週二十五シリングしかあげられません。それでも製本屋よりもよいと思ったら、きてください。」

一シリングはおよそ五十円ほどに当たります。月給にすると五千円あまりになります。当時としても決してよい給料とは言えなかったでしょう。製本屋でもらう工賃よりは、きっと、割がわるかったにちがいありません。しかし、マイケルにはそんなことは問題ではありませんでした。王立科学研究所の実験室で働けるという、ただそのことだけで十分だったのです。

「ありがとうございます。ぜひ、やらせていただきます。」

こうして、マイケル・ファラデーは、とうとう、王立科学研究所の一員になりました。そして、のちには、先生のデイヴィよりも、はるかに偉大な科学者として、世界中の尊敬を集めるようになりました。かれは、そのご、名誉の高い王立学会の会員に推《お》され、王立科学研究所の実験室の指導者となってからも、ほとんど一生、研究所をはなれることなく、夫人といっしょに、研究所の構内で質素な生活を送りました。

ファラデーは、科学者としてたくさんの立派な業績を残したばかりでなく、また、人間としても、実に心の美しい人でした。特に、神を信ずることが深く、金銭に対する欲をまるで持たなかった人だと言われています。かれは、自分の科学研究の結果を金に替《か》えたことは一度もありませんでした。

ファラデーが子どものために残した科学の本が、一さつだけあります。それは、「ろうそくの化学的な身のうえ話」という本で、「ろうそくの科学」とか、「ろうそく物語」とかいう名で日本にも翻訳書《ほんやくしょ》が出ています。これは、かれが六十九歳《さい》の時、クリスマスの前夜に、子どもたちを王立科学研究所に集めて話して聞かせた話を、ファラデーの親友のクルックスという人が書きとめたものだということです。

晩年になって、ファラデーは、ヴィクトリア女王から、ハンプトン・コートというところに大きな邸（やしき）をいただきました。もちろん、かれの科学上の功績を認められてのことでした。一八六七年八月二十五日、ファラデーは、この邸の書斎《しょさい》で、七十四年余にわたる、その勤勉な一生を静かに終わりました。

ナポレオンと新兵

ナポレオンがまだ連隊長だったころ、かれは自分の連隊を検閲《けんえつ》する時、きっと新兵に向かって、三つの質問をした。

「おまえは、いくつになるか。」「入隊してから、どのくらいたつか。」「たべ物と着るものは、十分にもらっているか。」

いつも、この三つをこの順序でたずねた。

フランスの軍隊には、植民地から入隊する者も多かったが、植民地からの新兵は、フランス語ができなかった。

そこで、小隊長は、検閲の前日、これらの新兵を集めて、フランス語で、質問に答えられるようにしようと思った。

三つの質問は、順序がきまっているのだから、第一の時は、こう。第二は、こう。第三は、こうと、棒暗記をさせた。

検閲の当日、ナポレオンはひとりの新兵の前に立ちどまった。しかし、きょうは、いつもと問いの順番を変えて、質問した。

「おまえは、入隊してから、どのくらいたつか。」

「満二十年であります。」

新兵は、フランス語でよどみなく答えた。ナポレオンはびっくりした。まだ二十代の青年が、隊に二十年も勤続するはずがない。連隊長は、改めて問い返した。

「おまえは、いくつになるのか。」

「三カ月であります。」

新兵は、待っていましたとばかり、教えられた第二の答えを答えた。ナポレオンは、ますます、わからなくなった。

「これじゃ、おまえの頭がどうかしてるか、おれの頭がどうかしてるか、どっちかだ。」

「はい、閣下。どっちも、おっしゃる通りであります。」

エリザベスの疑問

その時、エリザベスは四つでした。けれども、これは、かの女（じょ）が生まれて初めての重大事件だったので、その時のことは、大きくなってからも、はっきり思いだすことができました。

その日、エリザベスに妹が生まれたのです。かの女は、はじめてねえさんになったので、うれしくてたまりませんでした。かの女は、にいさんや、ねえさんのそばで、遊んでいましたが、そこへ、看護婦が、まっ白いうぶぎにくるまった赤ちゃんを、見せにきました。

すると、おとなが、どやどやと看護婦のまわりに集まりました。そのおとなたちの足のあいだで、エリザベスは早く赤ちゃんを見たいと思って、はねていました。

「女の子で、あいにくだったわね。」

おとなが小さい声で話しているのが、聞こえました。

エリザベスはそのことばを聞いて、ふしぎに思いました。どうして赤ちゃんが女の子なのでいけないのだろう。妹が女の子なら、自分も女の子です。

かの女は、おとなにだいてもらって、赤ちゃんを見ました。赤ちゃんはまるまるとふとって、生命そのもののように、ぴちぴちとしていました。「あいにくだわねえ。」と、おとなは言いますけれども、赤んぼうはちっとも「あいにく」なんて顔をしていません。どう見たって、かわいい赤ちゃんです。それだのに、どうして「あいにく」なのだろう。

でも、かの女はそのことを、すぐ、わすれてしまいました。エリザベスは鬼《おに》ごっこや、かくれんぼで、いそがしかったからです。それから、また、だいすきなピーターがお使い

に行くところへは、どこへでも、ついて行くことにしていたからです。

ピーターというのは、黒人のおじいさんです。エリザベスの生まれる前から、うちにいる召使《めしつか》いでした。そのころ、アメリカにはドレイというものがあって、黒人は人間に生まれながら、毛ものと同じように売り買いされていました。毛ものなら、逃《に》げたいと思えば、主人の家から逃げだすこともできますが、ドレイは法律というクサリで主人の家につながれていたのです。

このピーターは、ドレイではありませんでした。お給金をもらって働いている普通《ふつう》の召使いでした。しかし、エリザベスが知っていたのは、そんなことではありません。ピーターがだいすきだということだけでした。エリザベスや、ねえさんは、ピーターとどこへでもいっしょに行きたがりましたが、教会へ行った時には、「どうにもこまりました。同じように神さまのお話を聞きに行ったのに、ピーターとはいっしょにお話を聞くことができないからです。ピーターは、いつも、すみのほうの、うす暗いところにしか、腰《こし》がかけられないのです。だいすきなピーターの顔を見ようとすると、まっ黒いピーターの顔は少しも見えないで、目ばかり光っていました。

エリザベスは、おとなの知らないまに、そっとピーターの席へ逃げて行くことがあります。すると、ピーターはこまったように、もじもじしていました。教会のなかにいる白人たちも、へんな顔をして、見つめました。そこは、白人のすわるところでは なかったのです。そこは、皮膚《ひふ》の色のちがった、人間の部類にはいれない人たちの いるところだったのです。

そのつぎに、かの女のよくおぼえているのは、にいさんのなくなった時のことです。もちろん、うちじゅうの人、だれひとりとして、悲しまないものはありませんでした が、わけても、おとうさんは一番がっかりしたようです。男の子といっては、にいさ んひとりしかいなかったのですから。それからというもの、おとうさんは、笑うこと をわすれてしまった人のように、むっつりやになってしまいました。

ある時、おとうさんがあんまりしょんぼりしていたので、かの女は、おとうさんの 背なかに飛びついて、

「おとうさん、そんなにがっかりすることはありませんよ。——あたしたちがいるじ ゃありませんか。」と言って、なぐさめました。

おとうさんはエリザベスの顔をながめていましたが、やがて、ため息をつくように、

「リジー、おまえが男だったらなあ！」

そう言ったと思うと、おとうさんは、また首をたれてしまいました。

エリザベスは、おとうさんの言った意味が、よくのみこめませんでした。しかし、

悲しんでいるおとうさんを見ると、どんなことをしてでも、おとうさんをなぐさめてあげたいと思いました。かの女は泣きながら、いきなり、おとうさんの首にだきつきました。

「おとうさん、なってあげます、あたし、にいさんの通りになってあげます！」

その晩、かの女は考えました。どうしたら、にいさんの通りになれるだろう。まず、第一に考えられることは、――にいさんは、ねえさんの習わないギリシア語をやっていました。そうだ、これをやりさえすれば、にいさんの通りになれる。これで、一つ、わかりました。それから、にいさんは乗馬をやっていました。そうだ。馬をやればいい。これで二つ。ほかには、どう考えてみても、にいさんとエリザベスたちのしていることとのあいだに、たいして変わったことはないように思われました。

それからというもの、エリザベスは見ちがえるように勉強家になりました。学校のことは言うまでもなく、ひとりで教会に出かけて行って、むずかしいギリシア語を習いはじめました。また、にいさんの馬を引きだして、落ちても、落ちても、ひるまずに、乗馬を続けました。

こんなに熱心に、こんなに男らしくやっているのに、どういうものか、おとうさんはちっとも気がつかないようでした。「これなら、にいさんと同じだ。」「これなら、男だ。」と言ってくれるかと、かの女は、毎日、待っていましたが、いつになっても、そんなことは言ってくれません。けれども、かの女は気を落としませんでした。

かの女は成績がよかったので、学校から、ごほうびをもらいました。エリザベスは、「今度こそ！」と思いました。そして、おとうさんのところへ飛んで行って、賞品を見せました。

その時、おとうさんはなんと言ったでしょう。

「リジー、おまえは男に生まれればよかったなあ。」

そう言ったと思うと、また、にいさんのことを思いだしたように、暗い顔をして、目をつむってしまいました。

どうして、おとうさんは、こんなことを言うのだろう。いつも「男」「男」って、男のことばかり言っている。

かの女には、まるでわかりませんでした。かの女は、男に生まれればよかったと思ったことは、一度もありません。どうして男の子だけがいいのでしょう。女の子だって、男の子とちっともちがいやしないじゃないか。いったい、女の子の、どこがそんなに悪いのでしょう。

女、男。男、女。とエリザベスは、また、考えはじめました。

そのころ、学校が早くひけた日など、エリザベスは学校の帰りに、裁判官をしているおとうさんの役所へ、ときどき遊びに寄ることがありました。そういう時、どうかすると、女の人がきていて、おとうさんの前で泣いていることがありました。それを見ると、エリザベスは、なんだか、いやな気もちがしました。

なぜ、女は、裁判所へきて泣いているのだろう……。

ふと、かの女は思いだしました、あの日のことを。それは、もうほとんどわすれてしまっていた、あの妹が生まれた日に、おとなが言ったことばです。

「女の子であいにくだったわね。」

女の子は大きくなると、ああして泣かなくてはならないからなのだろうか？　なぜ、女は泣くのだろう。

エリザベスはギリシア語も、数学も、男の子に負けはしないのに、それでも、今に、泣かなくてはならないのだろうか？

かの女は、ある日、おとうさんの下で働いている書記に、そのことを聞いてみました。

「あたしには、どうしても、男と女がそんなにちがうってことがわからないの。」

するとその書記は、笑いながら厚い本を本ダナから出してきて、かの女に見せてくれました。かれが開いたページには、こう書いてありました。

「黒人、白痴《はくち》、狂人《きょうじん》および女子をのぞいて、すべてのアメリカ人は政治に関与《かんよ》することができる。」

「これ、なに？」

と、かの女は聞きました。

「法律ですよ。」

「法律ってなあに？」

「つまり、国の規則です。」

その人は、本をあちこちめくっては、エリザベスに、「狂人および女子」とか、「女子をのぞき」という個所《かしょ》を、いくところも指さして見せましたが、かの女は、もうそれを読む気がしませんでした。また、読んだところで、よくわからなかったのです。「政治に関与する」ということがどんなことなのか、かの女にはまだ、まるっきりわかりませんでした。

けれども、まるでわからないとはいうものの、

「黒人、白痴、狂人および女子をのぞいて！」

という文字には、かの女は心から腹がたちました。

「いったい、だれが、こんな規則をこしらえたのだろう。男がきめたのだろうか。おとうさんたちが作ったのだろうか。男って、勝手なものだ。それだから、おとうさんは女をさげすむのにちがいない。」

その日、家に帰る途中《とちゅう》、かの女は本気になって考えました。

「よし。いつか、いつか、あの本を破ってやる！」

それからというもの、かの女は今までのように、ただぼんやりと、おとうさんの役所には行きませんでした。かの女は、おとうさんの部屋にはいって、人のいない時を見すましては、法律の本を開いて、「黒人、白痴、狂人および女子……」という文字のあるところを見つけだし、そこのページを折っておきました。

「おとうさんが旅行においでになったら、あすこんとこを、みんな、やぶいてやる！」

しかし、この計画は、もう少しで成功するというところで、おとうさんに見つかってしまいました。

「なんだ、ちょいちょいやってくると思ったら、こんないたずらをしていたのか。ははは。だが、いくら本を破ってもだめだよ。この文字が書いてあるのは、この本だけではないのだ。それが気に入らなかったら、おまえが大きくなったとき、演説をして、法律を変えるようにするんだね。法律さえ改正されれば、こういうことは、ひとりでになくなるよ。」

おとうさんは、こう言いながら、かの女のあたまをなでました。その時、エリザベスは下をむいて、きゅっとくちびるをかんでいましたが、心のなかでは、なんねんか前に、泣きながらさけんだことばをくり返していました。

「おとうさん、あたし、にいさんと同じような人間になってみせます。」

やがて、かの女はトリイの女子専門学校を卒業し、そこの学位も取りました。しかし、それからあとは、これということもありませんでした。もちろん、「黒人、白痴、狂人および女子をのぞいて」という法律は、今まで通りおこなわれていましたが、ひとりのお嬢《じょう》さんが、いくらそのことでやきもきしたところで、どうにもなるものではありません。また、かの女にしても、そのことばかり、考えているわけにもいきませんでした。それに、かの女のようにいい家庭に育ったものは、おかあさんがおとうさんに打たれるというようなところを見ることがありませんから、強く心をかきたてられることもなかったわけです。

ところが、かの女の胸の底にくすぶっていたものが、突然《とつぜん》、新しく燃えあがりました。ある日、おとうさんや、いとこたちと、おとうさんの親友のスミスさんの事務室にたずねて行った時のことです。ちょうど、そこにいあわせた、ひとりの女に出あったことによって、エリザベスははげしい感動を受けました。

スミスさんのところにきていた女というのは、ハリエットという若い黒人の娘《むすめ》でした。かの女のくちびるは、自分の苦しみを十分にうったえることができないほど、ふるえていました。しかし、かの女が、どんなにひどいめにあっていたかは、かの女のおろおろしたことばの中に、はっきり読みとることができました。エリザベスは、その悲痛な話を聞いて、心臓がえぐられるような気がしました。

この黒人の娘は、虐待《ぎゃくたい》にたえかねて、たった今、主人のところから逃げてきたばかりなのです。ところが、不思議なことに、悪いことをしたのは、虐待した主人ではなくて、逃げてきた娘のほうにあるのだそうです。黒人の娘は事務室のすみでふるえていました。かの女には、もう泣く涙《なみだ》さえ、かれてしまったように見えます。この娘は、もし、見つかろうものなら、殺されてしまうのだそうです。

この悲惨《ひさん》な事実に対して、そのころのアメリカの法律は、いじめられた黒人の娘を保護しないのです。権利は、娘を金で買った主人のがわにあったのです。

このおそろしい話を聞いたエリザベスは、まだだれからも打たれたことのない自分の白い背なかにも、ムチが、ヒュウヒュウと、うなってくるように思われました。軽い、きれいなクツしかはいたことのない足にも、急に、重たい足カセがはめられたような気がしました。かの女は苦しくって、息ができなくなりました。

「生まれるとすぐ、こういう人たちは苦しまなくってはならないのだ、苦しまなくってはならないように、ほかの人間からきめられているのだ。これでも、人間だろうか。」

エリザベスは打ちのめされたようになって、黒人の娘のかくまわれている事務室の階段をおりました。この時から、かの女は熱心なドレイ解放論者になりました。かの女は、あのなつかしいピーターの一族を、どうしても人間の社会へ引きもどしてやらなくてはいけない、と決心しました。

まもなく、かの女は、この運動のことで知りあいになった若い法律家、ヘンリー・スタントンと結婚《けっこん》しました。そして、その同じ年に、スタントンといっしょに、ロンドンで開かれるドレイ解放大会に、アメリカ代表として出席することになりました。かの女はイギリスに渡《わた》って、この世にあってはならない不正をたたき破ろうと、誓《ちか》いました。

ところが、大会の期日がせまってから、意外なことが発見されました。大会は女子の代表者を入場させないというのです。こういう会合でさえも、のけものにされるのです。アメリカから渡った女子の代表者たちは、そんな不公平なことはない、と言って、抗議《こうぎ》をしました。

「しかし、規則ですから……、規則ですから……。」

というのが、主催者《しゅさいしゃ》がわの答えでした。

いつも規則です。いつも法律です。そして、その規則、その法律をつくったのは、いったい、だれなのでしょうか。

女子の代表者たちは、なんのために、はるばる海をこえてきたのか、わからなくなりました。けれども、今さら、帰ることもできません。かの女たちはいろいろ相談した結果、会場の屋根うらに幕を張って、議場から見えないようにしたところからでも、とにかく、大会の模様だけは、聞いて帰ろうということになりました。

大会の最初の日がきました。男ばかりぎっしりつまった議場では、はげしい討論が開始されました。屋根うらでは、その時、エリザベスをはじめとして、なんにんかの婦人が、耳に手をあてて、かすかにもれてくる演説を、聞きおとすまいとして緊張《きんちょう》しておりました。

「諸君！　人として生まれた者のあいだに、かような差別があっていいものでしょうか！　ある人間が、他の人間から、人間としての権利を奪《うば》っていいものでしょうか！」

こういう声が聞こえてくるたびに、エリザベスは、もうひとりの女の代表者、ルクレチア・モットさんと、しっかり手をにぎり合いました。口では言えない思いが、かの女の胸にもりあがってきました。そうしているあいだに、小さい時から、くり返し、くり返し、さけばれた「にいさんと同じに……」という決心が、「女も人間に」「ドレイ解放が問題であるように、女も解放されなければならない。」

というように、変わっていきました。

が、この決心は、それから長いあいだ、かの女の胸のなかだけで、とまってしまいました。ロンドンから帰ると、まもなく赤んぼうが生まれたからです。この赤ちゃんを立派な人間に育ててあげよう！　これだけでも、たいへんな仕事でした。

かの女はほかのことを考えるひまがありませんでした。しばらくすると、また、次の赤んぼうが生まれました。お乳、おむつ、朝はんの支度《したく》、夕食の用意、かの女は、朝から夜まで、家庭の雑事に追いまわされました。

ふと、気がつくと、ロンドンから帰って、もう八年という年月がたっていました。かの女はびっくりして、自分のまわりを見まわしました。自分の家庭をいい家庭にしようとつとめていたつもりなのに、じつは、何もしていなかったのです。ただ女中といっしょに、せわしなく動いているだけでした。かの女のあたまは、からっぽです。世の中のことを見ても、さっぱりわかりません。毎日、夫の顔、子どもの顔、召使《めしつか》いの顔を見てくらしているうちに、そとのことは、なにもわからなくなっていたのです。おなかがへったとき、たえられない気もちにおそわれるように、あたまがからっぽになったと気づいた時、エリザベスは空腹にもました苦しい気もちになりました。一家の主婦が、これではどうにもしようがない。こんなふうでは、どれだけ働いても、家庭は本当の意味で向上しません。子どもはよくなっていきません。けれども、それはかの女だけではありませんでした。どこのうちでも、奥《おく》さんは、ただわけもなく自分のうちの台どころと食卓《しょくたく》のあいだを、一日じゅう、かけまわっているだけでした。

「アメリカじゅうの女がこういうことばかりしていたら、アメリカはどうなるだろう。」

けれども、アメリカの女はどうすることもできませんでした。いつも、かの女らをおしつけている「黒人、白痴、狂人および女子をのぞいて……」が、あい変わらず世

の中に、はびこっているからです。それは、その法律の条文だけではありません。そ
れを作った男たち、そういう不合理な法律を改めようともしない男たちの気もちが、
家庭にあっても、社会にあっても、いつも、はばをきかしているからです。
アメリカの女は、赤んぼうの時に、足にきれをまかれて、よちよちと歩いていた昔のシナの女と同じだと、エリザベスは思いました。しかし、女という女は、自分の足でしっかり立ちあがらなければいけない。
けれども、エリザベスは、たったひとりでした。ひとりでは、何を考えても、何をやろうとしても、やりようがありませんでした。
そんなことを考えていた時、ある日、たずねて行った友だちの家で、かの女はめずらしい友だちに会いました。ロンドンの大会の時、屋根うらで、いっしょに演説を聞いた、あのルクレチア・モットさんです。八年ぶりで、その人の手をにぎった時、エリザベスの心が若々しい力でいっぱいになりました。そして、ネズミかなんかのように、屋根うらの幕のはしから、こそこそ男たちの演説を聞いた、あの日のことが思いだされました。あのおりの言いようのない屈辱《くつじょく》を思うにつけ、いきどおろしい感情があらしのように高まりました。
なんねんも、なんねんも、かの女の胸にたまっていた気もち、訴《うった》え、いきどおりが、

今、涙といっしょに、あとからあとから、ほとばしり出ました。しばらくして、気がついてみると、いつのまにか、その家にいた女の人たちが、全部、エリザベスとルクレチアのまわりに集まっていました。そして、かの女のことばが力づよく進められた時、かの女らの考えは、全く一つになりました。それは、エリザベスだけが思っていたことではなかったからです。

しかも、話は話だけで終わりませんでした。一つになった意志は、その日、みんなが別かれる前に、早くも、一つの運動の力づよい芽をふき出しました。

翌日の朝、世界最初の「女の権利」のための会合が予告され、数日後の、一八四八年七月十九日、小さな会が開かれました。

いくにんもいない聴衆《ちょうしゅう》の前で、婦人解放運動の宣言を読みあげたのは、四つの時「なぜ、女の子はいけないのか。」を考えたエリザベス・ケーディ、のちのスタントン夫人でした。

この日から、かの女は陣頭《じんとう》に立って、アメリカの婦人のために、いや、世界の婦人のために戦いました。その時、エリザベスは三十歳《さい》を少し越《こ》したくらいの年齢《ねんれい》でした。それからさらに、五十年もの長いあいだ、同じさけびを続けました。

今日、アメリカ合衆国といえば、だれでも、婦人の権利が最も認められている国と思っています。しかし、エリザベスが生きていた時代には、そうではなかったのです。それが今日のようになったのは、エリザベスをはじめとして、多くの婦人が自分の足で立ちあがったからです。

見せもののトラ

「評判、評判、大評判。今度、朝鮮《ちょうせん》からきた大トラだ。よっく、かんばんをごろうじ。なんとすごいトラではないか。さあ、いらっしゃい。いらっしゃい。」

見せもの小屋の男は、小屋の前にかけてあるかんばんを指さしながら、声をからして、よびたてていた。

人ごみの中で、トラのかんばんを見つめていた武士が、小屋の者にたずねた。

「これ、これ。中のトラは、このかんばんのトラに似ているか。」

「似ているぐらいじゃございません。そっくりそのまま

です。」

「しかと、さようか。」

武士は、語気に力を入れて、念をおした。

「へえ、へえ、この通りでございますとも。もし、ちがっていたら、お代はいただきません。」

「ああ、さようか。しからば、見るにもおよぶまいて。」

リンゴのなみ木

テンリュウ川の清流にそい、東と西に、南アルプスと中央アルプスのけわしい山なみをあおぐ谷あいの小都会、長野県、飯田（いいだ）市——。

この飯田市は、山間の都市という地形の関係から、冬と春とには、きまって強風がふきすさぶので、しばしば大火におそわれることがあります。大正の末のおお火事、昭和二十一年の火事、それからその翌年には、町の八十パーセントを焼きはらった大火がありました。

二十二年の大火のあとでは、たびかさなる災害にこりて、今度こそ、防火都市を築きあげようと、市の有力者は決意しました。そして、新しい町は、延焼を防止できる、幅《はば》の広い道路を中心として計画されました。

それから数カ年、市民のたゆまぬ努力によって、町はおいおいに復興して行きました。しかし、道路がひろげられたために、町はなんとなく殺風景になったので、広い防火道路のまん中に、なにか適当な街路樹を植えようという話が、ぽつぽつ、起こっていました。

ちょうど、そのころ、市立、東中学校の生徒が数人、校長先生といっしょに、市役所へたずねてきました。そして、

「わたしたちの手で、防火道路に、リンゴの木を植えさせてもらえないでしょうか。全校生徒千五百人が総がかりで、赤い実のなる街路樹を育てたいと思うのです。」

という申し入れをしました。

生徒たちがこうした計画を建てたのには、一つのきっかけがありました。それは、公用で北海道に行ってこられた松島校長が、帰校後、朝礼の壇上《だんじょう》で話されたみやげ話が、強く生徒たち

の心を打ったからです。

校長は、町つくり最中の飯田市にちなんで、明治維新《いしん》のあとで開拓《かいたく》された新天地、北海道の都市のことについて話されました。なかでも、サッポロ市の町わりが整然としており、しかも、その道路に植えてあるニレやアカシアの街路樹が、町を愛する市民の協力によって、立派に守り育てられている点を賞賛されました。そして、道路や建て物の人工美の中に、自然美を調和させることが、都市を美化する上に、いかに大切であるかを力説され、ヨーロッパの都市では、街路にブドウだなを作ったり、果樹を植えたりしていることなども、話してくださいました。

「そうだ、ぼくらの手で、この町に、土地の特産物であるリンゴの木を植えたらどうだろう。今、市役所では、防火道路に何か街路樹を植える計画があるということだから。」

だれ言うとなく起こった、これら少年たちの声は、次第《しだい》に学校中にひろまり、続々と賛成者があらわれて、やがて、それは、学友会（生徒自治会）の議場で、正式に決議されるまでになりました。

先生の意見を求めると、先生がたも、全員賛成してくださったので、生徒代表は、校長先生に同行していただいて、市役所をおとずれたのでした。

「――なるほど、リンゴの街路樹とは、私たちも考えつきませんでしたな。」

その時、応接に出てきた市の助役は、生徒の話を聞き終わると、考えこんだ顔をしながら、ポツリポツリと口を開きました。

「しかし、どうですかな。リンゴは栽培《さいばい》のむずかしい木です。それが、はたして皆《みな》さんの手でできるかどうか。費用にしても、ほかの街路樹よりはずっとかかりますし、それに、たとい、皆さんの丹精（たんせい）によって、実際にリンゴの実がなったとしても、町なかのことですから、それはすぐ人に盗《ぬす》まれるにきまっています。そうなると、この町に犯罪者を出すようなことが起こらないとも限りません。町の復興に協力してくださる皆さんのお志には感謝しますが、予算の関係もあることですから、市としては、残念ながら、ご意見にそうわけにはまいりませんな。」

助役から、このように説き聞かされると、生徒たちは、返すことばがありません。つい先ほどまで、胸に大きく描《えが》いていた夢は、たちまち、しぼんでしまいました。みんなは、すごすごと、市役所を引きあげるよりほかはありませんでした。

しかし、そのことを生徒代表が学友会に報告したところ、意外にも、多くの生徒が、これに不満をとなえて、議場はわきたちました。

「リンゴが栽培のむずかしい木だということぐらいは、自分たちだって知っている。

しかし、むずかしい、むずかしいと言っていたら、どんなことだって、みんな、むずかしい。」

そう言った生徒のあとに続いて、かわるがわる、活発な意見が述べられました。

予算の関係があると言うのなら、何かアルバイトをして、お金をかせいででも、自分たちの手でやっていこう。

盗まれると言うなら、盗まれないように、丈夫《じょうぶ》なサクを作ればいい。

いや、盗まれたら、盗まれたってかまわない。たべたい人にたべさせたら、いいじゃないか。

「その意見には反対だ。」

そう言って、立ちあがった生徒がありました。

「ぼくは、こう思う。今度の植樹の計画のうちで、大事なことの一つは、共同の精神だと思う。ぼくら千五百人が、共同して植樹をする。それもたしかに共同の精神だけれど、さらに、それがおしすすめられて、リンゴの実を盗むような人が、この町には、ひとりもいないようにする。そういう理想をもって、この仕事にあたるべきではないだろうか。ぼくらは、赤い美しい実をみのらせることによって、町を美しくするばかりでなく、町の人々の心をも美しくしてゆきたいのだ。そうした社会的精神が、町じゆうに行きわたる時、はじめて、この飯田市の復興も達成されるのだと思う。」

「そうだ、ぼくらの植樹は、ただ木を植えるだけの仕事ではない。町の美化と、共同の精神の実現にあるのだ。」

「賛成。みんな、その方針で進もうじゃないか。」

われるような拍手《はくしゅ》が場内に鳴りひびき、全員一致《ち》で、リンゴ植樹の計画が、改めて決議されました。そして、その決議は、ふたたび校長のもとに、上申《じょうしん》されました。

植樹に対する生徒たちの変わらない熱意を聞いて、校長は、強く胸を打たれました。しかも、今度の決議は、前のような単純なものではなく、そのなかには、理想に燃えた社会的精神がかがやいています。校長も、あの時、市の予算のとぼしいことを聞かされて、引きさがったものの、それを心のこりに思っていた点では、生徒たちと全く同じでした。生徒たちが、こんなにも意気ごんでいるからには、なんとかして、これを実行に移してやりたいと思いました。

教育というものは、教え子の持っているよい芽を育てることだ。そうとすれば、今ここに芽ばえつつある芽を育てあげることこそ、教育者の務めだと思う。教室の学習が大事なことは言うまでもないが、こういう事をとりあげることも、また、生きた教育の一つだ。

校長はそう考えました。それは、校長ひとりのみならず、教頭をはじめとして、すべての教員にも共通するところのものでした。こうして、生徒の決議は、学校でも強く支持することになったのです。

そこで、校長と生徒代表は、ふたたび市役所をたずねました。前の訪問の時から二カ月ほどのちのことです。そのあいだに人事異動があって、助役は、新しい人に代わっていました。

新しい助役は、前の助役とちがって、生徒たちの話を熱心に聞いてくれました。また、校長の教育観についても、一つ一つ、うなずきながら耳をかたむけていました。

やがて、一応の説明が終わった時、助役は、すっと立ちあがって、いきなり、正面の校長に右の手を、そのとなりの生徒には左の手を、ぐっとさしのべて、その両方の手を、しっかりとにぎりしめました。

「よろしゅうございます。お引き受けしました。ぜひ、やっていただきましょう。予算の点につきましては、あなた方のご心配をいただかなくとも、市でつくります。それは市の問題であり、市の責任です。私としましては、市に勤めている者として、こんなうれしいことはありません。これほどまでに市を愛してくださるあなたがたの熱意に頭がさがります。私は、あなたがたのような少年市民を持ったことを、この町のほこりだと信じます。どうか、がんばって、よい実をみのらせてください。」
かたくにぎり合ったおたがいの手を通して、熱い、共通の感情が流れ合いました。
一回や二回の応対では、とても承知してもらえまいと思っていたのに、即座《そくざ》にひき受けてくれたので、生徒たちの感激は、ひとしおでした。女生徒の中には、目をうるませているものさえありました。

さて、その年はもう植樹の時期が過ぎていたので、実際の着手は翌年の秋ということにきまり、それまでの約一年間は、慎重《しんちょう》な計画と準備にあてられました。そして、校内に、あらたに「緑化部」が設けられ、各クラスから二名ずつの部員が選ばれて、植樹、植林についての専門の勉強がはじまりました。

やがて、次の年の九月のある日曜日、全校、千五百人の先生と生徒は、一団となって、いよいよ年来の夢を実現すべく、植樹に取りかかることになりました。

市の協同組合の技術員の指導のもとに、二、三年生は、市役所から借りてきたツルハシやスコップをふりかざして、防火道路のまん中の緑地帯に、穴ほりの作業をはじめました。肉体労働に慣れない町そだちの少年少女にとって、深さ二メートル、直径三メートルの穴を掘《ほ》ることは、容易なことではありませんでした。しかも、焼けあとの土をならして急ごしらえした道路のことですから、掘ると、土の中から水道管が飛びだしてきたり、蔵《くら》の厚い敷石《しきいし》があらわれたりするので、作業は予想以上に困難でしたが、みんな勇気をふるって、働きました。

一年生は、緑地帯の草を丹念にむしり取る係です。それを穴にうめて、肥料のかわりにするためです。

それから一カ月後の日曜日に、三年生の一部は、トラックに乗って、市の費用で前の年に買いつけておいたリンゴの苗木（なえぎ）四十本を、近くの村の果樹園から引き取ってきました。苗木と言っても、どれも実のなるのもまぢかな、五、六年生のわか木でしたから、根をいためないように、四十本も掘り取ってくることは、生徒たちにとって、ずいぶん、骨のおれる仕事だったようです。

こうして、引き取ってきた苗木は、防火道路の緑地帯に、九メートルの間隔《かんかく》をおいて、移植されました。四十本のリンゴのわか木が、整然とならんでいるところは、じつに壮観《そうかん》で、焼けあとの、殺風景な町に、なんとも言えない、うるおいを与《あた》えました。

移植が終わると、それに水をそそぐ者、苗木のささえを立てる者、竹のサクをめぐらす者など、それぞれ手わけしてやったので、仕事はどんどんはかどりました。これで、ひとまず、目的の第一段は達成されたわけです。生徒たちは、慣れない力しごとなので、へとへとになりましたが、しかし、ずらりとならんだ緑の列をながめると、つかれもどこかへ飛んで行ってしまいます。

だが、かれらの仕事は、まだ終わったわけではありません。むしろ、これからの手入れが大変です。緑化部の生徒たちは、当番をきめて、毎日、植え木の虫を取ったり、枯《か》れ葉をむしったり、水をやったり、観察記録をとったりしました。どんなに天気の悪い日でも、一日だって休むことはありませんし、夏や冬の長い休みのあいだでも、それはずっと続けられました。また、月に二、三回は、各学年の生徒が交代で、草とり、消毒、追肥などもおこないました。

しかし、それらのことは、当然やらなければならない植樹のあとの仕事なので、それほど苦労とは思いませんでしたが、困ったことは、町の人々がリンゴのなみ木を愛してくれないことです。心ない人々が、まわりのサクをマキがわりに盗んで行ったり、リンゴの木を物ほしがわりに使ったりするのです。そればかりか、盆や暮の大売りだしの時などには、商店の大きな旗が木の幹にしばりつけられたこともありました。また、客よせのための演芸場が設けられて、リンゴの木が舞台《ぶたい》の下じきにされたことさえありました。

このような無理解、無協力は、それからも、なお続きました。どうも町の人々の多くは、共同の精神とか、社会性というものを、ほとんど理解していないように思われます。

ところが、それにも増して、もっと困ったことが起こりました。それは、約一年ののちに、植えた木のうち、十九本が枯《か》れてしまったことです。給水が十分でなかったことや、焼け土の中に不熟（ふじゅく）肥料を入れたことなどが原因だったようです。「諸君の手ではとても栽培はできませんよ。」と言った前の助役のことばが、今さらのように思い返されました。しなびた葉がたれさがっている枯れ木を前にして、生徒たちは、沈《しず》みこんでしまいました。

けれども、まじめにやった仕事には、そう悪いことばかり続くものでもありません。しばらくすると、今まで全く予想もしなかった新しい光がさしはじめました。それは、東中学校生徒のリンゴ植樹のことが、朝日新聞に掲載《けいさい》されたのがきっかけとなって、「成功をいのる」「がんばれ、がんばれ」などという、見ず知らずの人々の、激励《げきれい》の手紙が、続々と学校に送られてきたからです。ことに、信州大学農学部の高馬（こうま）教授は、リンゴ栽培についてのくわしい注意を書き送ってくれたばかりでなく、自身、わざわざ学校にたずねてこられ、生徒といっしょに泥《どろ》んこになって、直接実地の指導までしてくれました。また、ある人は、手紙にそえて苗木の寄付を申し出てくれましたし、来年の修学旅行には、生徒をつれてリンゴのなみ木を見に行きます、と言ってきた学校の先生もありました。それから、リンゴの花が咲《さ》いたら、おし花にして送ってください、と書いてきた少女、肥料を買うたしにでも、と言って金を送ってきた卒業生など、こうした人々の、あたたかい好意によって、自信をなくしかけていた生徒たちは、どれだけ元気をとりもどすことができたかしれませんでした。

これも、あるいは、新聞の影響《えいきょう》かもしれませんが、そのころから、リンゴのなみ木に対する町の人々の理解も、おいおい深まってきました。なにしろ、雨の日も、雪の日も、一日だって見まわりをおこたったことがないのですから、この生徒たちの仕事ぶりを見ていると、これは、物ずきや、遊び半分にやっているものではないということが、町の人々にも自然にわかって行ったものと見えます。

なみ木通りに住む人の中には、毎日、木のまわりに水をかけてくれる者が出るようになりました。通りがかりの人も、道にバフンなどが落ちていると、それを肥料がわりに木の根もとにおいて行ってくれる者もありました。また、その年の盆《ぼん》おどりには、商店のほうから、「木を大切にしますから。」という条件で、学校に緑地帯の使用をたのみにくるほどになりました。はじめのころのひややかな態度にくらべると、これは大きな変化です。町の人々のあいだにも、社会性が広まってきたように思われました。

その年の春さいた花は、木の成長を考えて、全部つみとり、秋には、枯れた木のあとに、新しい苗木を植えました。こうして、すべてが順調に進むようになりました。

そして、その翌年、つまり生徒が植樹の計画を建ててから、まる三年めの秋、約二十本の木に、四十八個の実が、みのりました。その実は日ましに大きさを増し、しだいに赤みを加えてゆきました。生徒たちの長いあいだの努力が、文字どおり実を結んだのです。そして、「たとい実がなっても、盗《ぬす》まれるにきまっている。」と冷笑したおとなたちを見かえすように、四十八個のリンゴは、往来のまん中で、美しいほおをかがやかせていました。

もう半月ほどしたら、実をとり入れる日がきます。生徒たちはうれしさに心をはずませながら、とり入れたリンゴの処分方法を、相談し合っていたほどでした。

ところが、リンゴは、やっぱり、盗まれてしまいました。人出でにぎわった花火大会の晩にいくつか盗まれ、それから四日後の祭の晩にも、また、もぎとられて、あとには、たった六つしか残っていませんでした。

町の人たちの理解も深まり、社会的精神が高まってきたかと思っていたのに、その夢は、むざんに打ちくだかれてしまいました。たぶん、酒によった人のいたずらと思われますが、それにしても、あまりに心ないしわざです。かわいそうです。」

「あんなに一生けんめいやってきた生徒さんたちが、かわいそうです。」

リンゴなみ木のそばに住み、ひまがあると、生徒の仕事の手つだいをしていた印刷屋のおかみさんは、涙《なみだ》をふきながら言いました。

この事件は、新聞にも大きく報道されたので、単に飯田市内だけの問題でなく、全国的に関心を集めるようになりました。

ところで、生徒たちのほうはどうだったでしょう。かれらは、さっそく学友会を開いて、対策を協議しました。

千五百人の者が泥まみれになって、三年間も働き続け、やっと立派な実をみのらせたのに、それをわけもなくもぎ取られてしまったのです。若い生徒たちのことですから、興奮して歯がみする者や、泣きだす者のあったのも、むりもありません。中には、自分たちの目ざしている共同の精神、社会的精神までも、踏《ふ》みにじられたように憤慨《ふんがい》するものもありました。

すると、ひとりの生徒が立ちあがって、言いました。

「今度のようなことが起こったのは、じつに残念だが、しかし、これは、全然予期しなかった事がらではないのだ。この事があったからといって、今さら、がっかりするようでは、はずかしいと思う。ぼくらは理想をかかげて立ったのだ。その理想が、すぐにも実現すると思うのは、甘《あま》い考え方だ。なんどもぎ取られても、なんど妨害《ぼうがい》されても、ぼくらは、この仕事を続けてゆくべきだと思う。それは、たしかに骨の折れる仕事だ。根気のいる仕事だ。しかし、そこにこそ、ぼくらの立ちあがった精神があるのではないだろうか。」

この発言で、まちまちだった議論が、一つにまとまってゆきました。そして、リンゴの栽培《さいばい》は、今後、どんな妨害があっても、学友会で継続《けいぞく》してゆく。毎年、卒業する者があり、新入生があって、交代することがあっても、最初の理想を堅持《けんじ》して、これをつらぬき通す、ということを満場一致で決議しました。

これは、山間の小都会におけるリンゴ栽培という、小さな事がらです。事がらは小さいように見えますけれども、その目ざすところのものは、けっして小さいものではありません。東中学校の生徒たちの決意と努力に対して、今でも激励の手紙が絶えないということです。

ミヤケ島の少年

〝ミヤケ島、爆発《ばくはつ》か〟

昭和二十六年五月なかばのある朝、各新聞は、筆をそろえて、このニュースを書きたてました。東京から九十五カイリの南にうかぶミヤケ島のオヤマ火山が、近く爆発しそうなあやしい様相をていし、全島民は、日夜、極度の不安におそわれているというのです。短い報道でしたが、そこには、読む者の心をはらはらさせる不気味な空気がただよっていました。

アサマ山、フジ山から、大島をへて、は

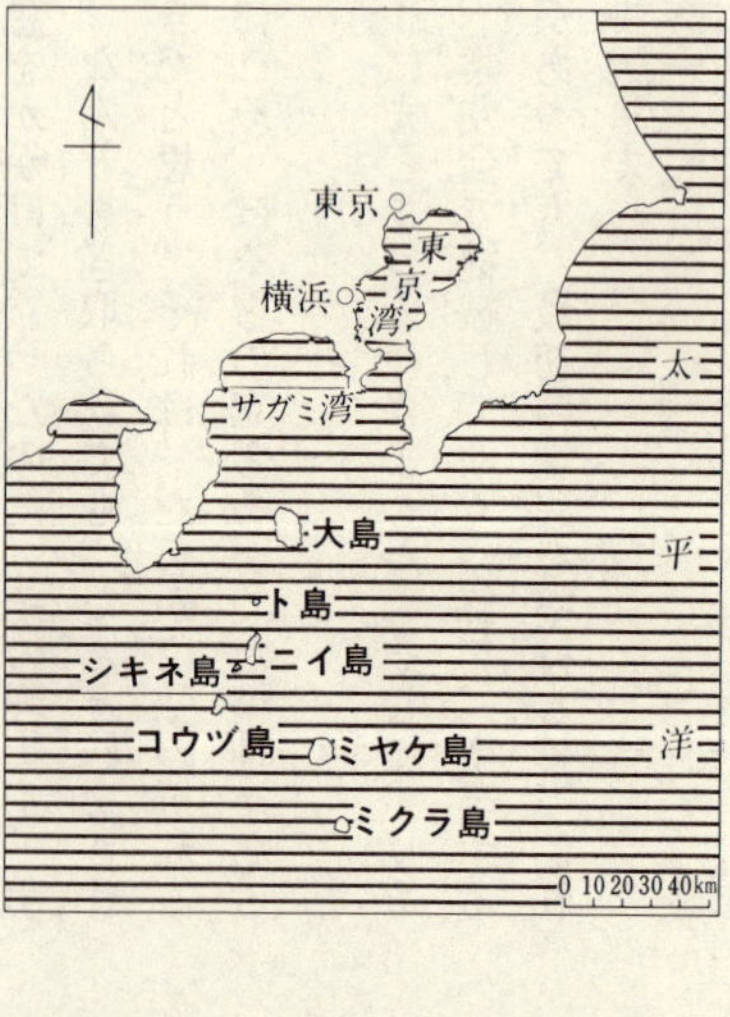

るか太平洋にまでのびているフジ火山帯上のミヤケ島は、活火山オヤマ（海ばつ八百十四メートル）を中央にあおぐ、周囲三十二キロの小さな島で、スリバチをさかさにしたような地形のすそのほうに、海をすぐ足もとにして、いくつかの部落が散らばっているのです。だから、万一、噴火《ふんか》がはじまったら、島民は、山と海とに前後をさえぎられて、どこへもにげることができません。しかも、しまつの悪いことには、この火山は山頂からばかりでなく、四方八方の山腹、時には、海の中からさえも爆発することがあるのです。そして、すでに、ここ三百年ほどの間に七回ものさまざまな形の大爆発をおこして、そのたびに島民に大きな災害をあたえてきました。げんに、昭和十五年の時など、山腹から大噴火がおこって、東北よりの部落は、人も、家畜《かちく》も、家屋もろとも、熔岩（ようがん）の流れと火山灰の下にうめられてしまったのです。

ところで、オヤマ爆発の予想は、決して根拠《こんきょ》のないものではありませんでした。その年の二月、なにかの用事でとなりのミクラ島に渡《わた》った島民のひとりが、二十キロの海をへだててオヤマを遠望すると、頂上ちかくから立ちのぼっている噴気が、いつになく、白く見えたと言って帰ってきたのです。その話におどろいてさっそくたしかめにオヤマに登って行った人たちも、帰ってきて、噴気量がだいぶ多くなっているように思われる状態を、口をそろえて証言しました。続いて、春になってから、このまえ噴火をおこした山腹のハンノキの葉が、にわかに枯《か》れだしたことが発見され、また、山の北がわの部落の井戸水が、かれて出なくなったという異変までおこったのです。同じイズ諸島中の大島のミハラ山が、前年に続いて二度めの大噴火をおこし、夜ぞらをこがす噴火のほのおが手に取るようにミヤケ島から望まれたのも、島民の心を、いよいよ大きな不安におとし入れる原因の一つでした。

「昭和十五年の噴火の時にも、ちょうど、今と同じような前ぶれがあった。きっとまたオヤマがおこりはじめたのだ。」

島の古老の言ったこのことばは、それがまちがいのない事実ででもあるかのようなひびきをもって全島にひろまって行きました。すると、島民たちは、戦争中、空襲《くうしゅう》をおそれた

時と同じように、家財道具の整理をはじめたり、手まわり品をリュック・サックにつめてそれを身ぢかにおいたり、本州の親類に手紙を送って疎開《そかい》の相談をもちかけたりしました。そして、だれもかれも、きょうか、あすかの切迫《せっぱく》した恐怖《きょうふ》感のとりこになって、ろくろく、仕事も手につかなくなってしまったのです。出漁中の突発《とっぱつ》事を心配して漁師も海へ出ないといったありさまです。

このようなミヤケ島の不安が各新聞に書きたてられたころ、東京から、都立大学の野口博士や、中央気象台火山係の諏訪（すわ）技官を中心とした調査団の一行が、島の南岸のツボタ部落に到着《とうちゃく》しました。これは、村の役場から、かねて調査を依頼《いらい》してあったからです。この人たちは、まるで、病名の知れない急病人のところへやってきた医者のようなものでした。そこで、科学者たちは、島民からくわしく山の症状《しょうじょう》を聞きおわると、船旅のつかれを休めるひまもなく、さっそく、調査にとりかかりました。一行には、島の測候所の所員、警官、役場の吏員《りいん》、そのほか荷役の作業員や、自分から進んで手つだいを申し出た少年たちが加わって、相当な、おお人数になりました。

噴火口を丹念（たんねん）に調べ、また、地表や地下の状態をくわしく観察するなど、調査は数日間にわたって綿密に進められました。すると、調査がはかどるにつれて、どうしたことか、結果は、島の人々の予想に反して、爆発するかもしれないというおもわくは、一つ一つ打ち消されていったのです。いや、爆発しそうな懸念《けねん》は、たった一つの疑問点をのぞいて、皆無《かいむ》と言ってもよかったのです。

ある日、オヤマ火口ちかくの熔岩の原で昼食をとりながら、科学者たちは、中間報告として、かわるがわる、島の人々にそのことの説明をしました。

「山腹のハンノキの葉が枯れたのは、地熱のためではなく、害虫のアオムシに葉を食いあらされたためなのです。あのへんの地中の温度は、少しもあがっていませんでしたね。」

「わたしは、ずっと地震計《じしんけい》で地下の状態を調べていましたが、このオヤマの火山活動に関係ありそうな地震は、ほとんど記録されませんでした。」

「前の爆発地点の井戸水がかれた理由ですが、あれは、もともと水のすくなかった地下水の出口が、雨水に運ばれた土のために、すっかり、ふさがれてしまったからで、けっして心配になる異常現象ではありません。」

「オヤマ中央火口の噴気の量も、みなさんが言うほど、多くなってはいませんでしたね。また、噴気の化学的成分にも、ほとんど変化は見られませんでした。ただ、一つ、問題なのは噴気温で、今度の調査では、平均温度が八十九度と出て、その程度の温度では火山の噴気として特に高くないから心配はないのですが、しかし、この噴気温は、

一、二年間にわたる長期の記録がなければなんとも断言することができません。たとえば、半年まえには、あるいは二百度以上にも上昇《じょうしょう》していたことがあったかも知れませんからね。オヤマが爆発するか否《いな》かをはっきり予知できる残されたキメ手は、つまり、ここにあるわけですが、しかし、あいにく、ここには火山観測所がなかったし、また、そんなことを調べていた人もおそらくいなかったでしょうから……。」

「では、その噴気温の状態は、いったい、いつになったら調べがつくのでしょうか。」

島の人々は真剣《しんけん》なおももちでたずねました。しかし、科学者たちは、そうたずねられても他に別の調査方法があるわけでなく、返事にこまって、野口博士も、諏訪技官も、ただ、だまって、顔を見あわせるばかりでした。

その時です。先ほどから、科学者たちのわきで、熱心に聞き耳を立てていたひとりの少年が、もじもじしながら、こんなことを言いだしたのです。

「ぼく、火山の勉強がすきで、二年ほど前から、ときどきオヤマの噴気温をはかってきました。それを記録したノートが、いま、家にあります。もし、それが、なにかの役に立つようでしたら、急いでうちに帰って、そのノートを持ってきてもいいのですが。」

「ほう、君が……。」

科学者たちは、目を見はりました。少年は、浅沼（あさぬま）君という島の高等学校の生徒で、かれは、始めから、ずっと一行について、調査の手だすけをしていた者のひとりです。

「どんな方法で調べたのか知らないが、こんな時には、なんでも見せてもらったほうがいいね。君、それを見せてくれないか。」

浅沼君は、緊張《きんちょう》した顔でうなずくと、おおいそぎで食事をたべおえて、元気よく、山をかけおりて行きました。しかし、おとなたちは、遠ざかって行く少年のうしろすがたを目で追いながら、どうせ、子どものやったことだからと、それには、ほとんど期待をかけていなかったようです。

浅沼君の家は島の北、学校は、南なので、通学はいつもバスに乗って海岸を半円形に回って往復していましたが、かれは年に一、二度は、ハイキングのつもりで、はるばるオヤマをこえて帰ってくることがありました。石炭ガラを積みかさねたようなデコボコ道を登りきって中央火口までくると、その辺は、いつもかなり地熱が高く、じっとしていると、ズックのクツのゴム底をとおして、足のうらがこげてくるような感じさえしました。

「どのくらいの温度なのだろう。タマゴがうだるほどかな。」

そのころ、学校で習ったばかりの地学への興味も手つだって、ある時、かれは、学校から借りてきた棒状温度計を地面につきさして、そこの温度を計りました。ところが、その時の温度が思ったより低かったので、案外な気もちがしましたが、その案外な思いが、かえって、かれの探究心をそそるのに役だったようです。――もっとも、かれは小さいころから理科の勉強がだいすきで、動物にも、植物にも、すべての自然現象に対して、深い科学的な関心を寄せていたのでした。――それからというもの、浅沼君は、登山のたびに、学校のほうでさしつかえないかぎり、温度計を借りてきて、火山付近の噴気温を計り、計ればそれを丹念にノートに記録しておくようになりました。ことしになって、爆発のうわさが高まってからも、浅沼君は、それが自分に課せられた義務のような気もちで、火口付近の温度を計りつづけてきたのでした。

さて、その日の夕がた、汗《あせ》とほこりにまみれてもどってきた浅沼君は、科学者たちの前に、一さつのノートをさしだしました。みなの目は一せいにそこに記入された数字の上にそそがれました。

一九四九年五月、九十二度C。一九五一年四月、八十度C、八十七度C、八十六度C、八十四度C。

「ふーむ。」

野口博士と諏訪技官は、思わず、うなり声をあげました。それから、ふたりは、浅沼君に調査した方法をくわしくたずねて、そのやり方に手おちがなかったことを認めましたが、それにしても、はたしてこれを信じていいのかどうかと、腕《うで》を組んで、しばらく考えないではいられませんでした。

「もし、この数字が、正確なものだとしたら、噴気温の変化は、ほとんどなかったことになるのだが……。」

そう言ったのは野口博士です。

すると、諏訪技官が、上半身をすっくと起こし、態度を改めるようにして言いました。

「先生。私は、この数字を、十分信じてよいと思います。わたしは今まで、浅沼君の手つだいぶりをよく見ていましたが、今度の協力者の中で、この少年ほど、よくものできる、よくものを知っている男はありませんでした。この少年なら、けっして、温度を計りちがえるようなことはないと思います。」

諏訪技官の目には、浅沼君に対する、強い信頼《しんらい》の色がかがやいていました。

「そうですか。それならおそらく大丈夫《だいじょうぶ》でしょう。いや、絶対に信用できるものと確認してもいいでしょう。これで爆発のきざしは全くないと、われわれは、はっきり、島の人たちに断言することができます。全島にさっそくこのことを伝達しましょう。」

ひとりの勉強ずきな少年の研究心と努力とが、思いもかけない大切な役めをはたして、島じゅうの人々の不安と混乱とを、日本ばれの空のように、あとかたもなく、取りのぞくことができたのです。

浅沼君は、この事件がおちついたのちも、あいかわらずコツコツとオヤマの調査をつづけていましたが、やがて、かれは、学校を卒業すると同時に、島で知りあいになった諏訪技官によばれて、東京の国立科学博物館につとめるようになりました。そして、今度は、科学者のタマゴとして、本格的に、火山研究の仕事にたずさわるようになったということです。

解説

高橋健二

書名について

『心に太陽を持て』(胸にひびく話二十篇《ぺん》)が最初に出たのは、昭和十年十一月のことです。山本有三が精魂《せいこん》こめて編集した「日本少国民文庫」全十六巻の中の第十二巻ですが、第一回配本でした。とりわけ、有三はこの一冊に熱情を傾《かたむ》けました。副題にある通り、胸にひびくような感動的な逸話《いつわ》を集めたものです。その刊行に思いがけぬ異変が起りました。

長い時間をかけて、編集に参画した同人たちの書いた逸話美談の中から、有三は二十篇をえり抜《ぬ》き、みずから文章を練って仕上げ、校正もほぼ終わりました。そして本の題名は「心を打つ話」ときまっていました。ところが、そのうち昭和十年秋のある日、新聞に鈴木《すずき》文史朗《ぶんしろう》著『心を打つもの』(三省堂出版)という本の広告が出たので、そっ有三も私たちもびっくりしました。生れる子どもの名まえがきまっていたのに、そっくりではないにせよ、同じ名まえのものが一足さきに出てしまったのです。有三は、日本少国民文庫の編集長だった吉野源三郎や編集顧問《こもん》の吉田甲子太郎《よしだきねたろう》や私を大急ぎで招集し、書名をどうするか、相談しました。

すぐあとを追ってほぼ同じ題名の本を出すわけにはいきませんが、心を打つ話をという趣向《しゅこう》で編集した本なので、今さら題を変えるには困難を感じました。それに鈴木文史朗は東京朝日新聞の社会部長で、評論家としても著名でした。私たちの本も苦心の産物なのに、題名の点でそういう人の後塵《こうじん》を拝する形になるのは忍《しの》びないことですし、全十六巻の文庫のスタートとしても好ましくないことでした。

副題になった「胸にひびく話」という題がまず無難でしたが、それでは「心を打つ話」に似たりよったりで、新味がありません。ああでもない、こうでもないと、苦慮《くりょ》を重ねた末、この本の巻頭に「心に太陽を持て」という詩がのっているのだから、いっそそれを本の題にしてみては、という案が出ました。まっさきに賛成したのは、有三でした。「心に太陽を持て」じゃ本の題にならないという意見も出ましたが、有三はこの詩に深く共鳴していたので、ぜひそうしようと、その案を支持しました。すわりのわるい題名だなという懸念《けねん》を抱《いだ》きながらも、みんなの意見はそれに一致《ち》しました。

「日本少国民文庫」は新潮社の四階に編集室を持っていましたが、編集はすべて有三の考えに従って行なわれ、新潮社は印刷、販売《はんばい》などの実務を引き受けるという仕組みでした。果たして新潮社側は「心に太陽を持て」というような奇妙《きみょう》な題では、販売上まずい、と難色を示しました。しかし有三は、一旦《たん》こうときめると、意志の強い人ですから、押《お》し切りました。

こうして「心に太陽を持て」という異色のある題でこの本は難産ののち世に出ました。出てみると、奇妙な書名がなんの抵抗《ていこう》もなく受け入れられただけでなく、かえって新鮮《しんせん》な感じを与《あた》えました。あの異変があったために、異色を出す結果になったと言えましょう。この本によって「心に太陽を持て」ということばは、一般《ぱん》に強い印象を与え、結婚《けっこん》式で祝詞《のりと》の代りにこの詩を朗読したという話も聞きました。

「心に太陽を持て」という詩について

この詩は西ドイツのツェーザル・フライシュレン（Cäsar Flaischlen 1864—1920）という詩人の作です。私は一九三一年（昭和六年）から一年半ほどドイツに留学している間に、ドイツの家庭で、聖書の句などと共にこの詩が壁《かべ》にかかっているのをいくどか見て、心を引かれました。「心に太陽を持て」というのは、いかにも明るく心を引き立てるいい詩です。それで私は昭和十年一月から日本放送協会のラジオ独逸《ドイツ》語講座を担当した時、まっ先にこの詩をテキストに採り上げました。そしてそのことを有三に話しました。

有三は『雪』（大正十三年作）というシナリオふうの作品で「どぶのなかの　かげろうだって　みんな　天をめざしている」と言っているように、向日性の強い作家とされています。「心に太陽を」ということばに有三はすぐ共感して、この詩を「少国民文庫」に入れようと言い、そうしました。そして今回のこの本にも巻頭にのっています。ただそれは、「フライシュレンによる」とありますように、原詩そのままの訳でなく、八行ずつの三節の原詩を六行ずつの三節につづめられています。しかし、これは有三が生前に手を入れた最後の形なので、そのままこの本にもかかげました。

ところが、戦前の初版本にのったこの詩の訳は、原詩と同じ長さですが、内容的には原詩からずっと離《はな》れています。フライシュレンは、その時代の印象派の影響《えいきょう》を受け、受身的に感傷的で、情調を貴《たっと》ぶ詩人でした。その点、意志的で、闘争《とうそう》的な主題を好んで扱《あつか》う劇作家だった有三と正反対でした。したがってこの詩でも原作者は「心に太陽を持て、あらしが吹《ふ》こうと、雪が降ろうと、地上に争いが満ちていようと！　心に太陽を持て、そうすれば、どんなことでも来るがよい！」というふうに、人生のもたらすものを静かに受けとめようとする心境を示しています。第二節でも、「他人をも慰《なぐさ》めることばを持つようにせよ、そうすれば、どんなことでも来るがよい！」というふうに同じ心境を歌っています。しかし、『路傍《ろぼう》の石』の吾一《ごいち》のように、苦しい人生の戦いを生き抜いて来た有三には、受身的な態度はもの足りなく感じられたにちがいありません。「心に太陽を持て　そうすりゃ、何がこようと平気じゃないか！……くちびるに歌を持て　そうすりゃ、何がこようと平気じゃないか！」というふうに強く表現しました。

特に第三節の最後は、原詩では、

「くちびるに歌を持て、
勇気を失うな、
心に太陽を持て、
そうすれば、なにごともよくなる！」

となっています。これも、「なにごともよくなる」というような、あなたまかせの態度は、有三にはなまぬるくて、我慢《がまん》できなかったのでしょう。最後の一行を「そうすりゃ、なんだってふっ飛んでしまう！」と表現しました。これは全く有三的な発想と表現であって、フライシュレンには「なんだってふっ飛んでしまう！」というような言い方は全く無縁《むえん》だったでしょう。有三はそれを十分承知で、誤訳だと言われたら、おれが責任を負う、と私に向かって言いきりました。が、有三も、最終的には、本書にあるように、原詩に近く、静かな落ち着いた訳詩に変え、「平気じゃないか」「なんだってふっ飛んでしまう」という表現をけずりました。それは、この詩に團伊玖磨《だんいくま》氏が作曲をしたからでもあります。

初版の訳詩はたしかに強引《ごういん》すぎたと思いますが、有三は少国民に向かって、力強く生きよ、と訴《うった》えずにはいられなかったのです。なにごともよくなる、といったように、向こうさましだいの消極的な気持ちでなく、積極的に人生を切り開いて行け、と呼びかけずにはいられなかったのです。その意味で初版本の訳詩をここに転載《てんさい》しておきます。本書の訳と比べてごらんになると、参考になるでしょう。

「心に太陽を持て
あらしが吹こうが、　雪がふろうが、
天には雲、
地には争いが絶えなかろうが！
心に太陽を持て
そうすりゃ、何がこようと平気じゃないか！

どんな暗い日だって
それが明かるくしてくれる！

くちびるに歌を持て
ほがらかな調子で。
毎日の苦労に
よし心配が絶えなくとも！
くちびるに歌を持て
そうすりゃ、何がこようと平気じゃないか！
どんなさびしい日だって
それが元気にしてくれる！

他人のためにも、ことばを持て
なやみ、苦しんでいる他人のためにも。
そうして、なんでこんなにほがらかでいられるのか、
それをこう話してやるのだ！

くちびるに歌を持て
勇気を失うな。
心に太陽を持て
そうすりゃ、なんだってふっ飛んでしまう!

ツェーザル・フライシュレン

「日本少国民文庫」の成立について

「日本少国民文庫」を有三が企画したのには、ほぼ四つの動機があったと思います。まず、自分のお子さんたちが小学校にはいり、中学校に進むようになり、本を読みたがるようになるにつれ、子どものためのよい本が少ないことを感じ、もっとよい本がほしいと思ったことです。有三はすでに大正十五年に「小学読本と童話読本」という一文を文藝春秋に書いて、子ども の本への関心を示しました。子どもたちの成長と共に、よい本を子どものために、という気持ちが強まったのは、自然でありましょう。

有三は右の「小学読本と童話読本」の中で菊池寛編集の「小学童話読本」を推賞しているように、児童図書への関心は一般に高まって来ていました。しかし、有三は、これからの子どもが楽しく読んで、心の糧《かて》とすることのできるような良心的な児童図書があるべきだと、しだいに強く考えるようになりました。

それに、一九三一年(昭和六年)に満州事変が起き、翌年五月十五日、犬養《いぬかい》首相が暗殺されるというふうに、暗い事件が続き、世の中の情勢が日々に険悪になり、人道が無視される傾向《けいこう》が強まりました。有三は本来熱心な人道主義者だったので、こういう時勢にこそ子どもに、人道主義にもとづく強くあたたかい博愛精神を吹きこむような本が必要だと考えました。

しかし、そういうことを考えてもそれを実行に移すことは困難です。何よりそれを担当する人材がいなければ、できません。たまたま私と一高時代の同級生だった吉野源三郎が、思想事件のためあたりまえの就職ができないでいました。有三は吉野の才能と学識とを非常に高く評価し、それを活用すると共に、吉野のために収入を計ろうと考え、「日本少国民文庫」の編集に従事させました。それによって全十六巻の構想がまとまり、吉野の精力的な働きによって、それが昭和十二年八月に完成しました。吉野自身、「君達はどう生きるか」という名作を一巻書きました。ただし、右記のような事情で、初版の時は山本有三の名で発表されました。戦後、同文庫の改訂《かいてい》版が出た時、その本は吉野源三郎作と明記されました。

「日本少国民文庫」の出版は大きな成功を収め、増刷をかさねました。戦後も二度にわたって改訂され、本の形をかえて、刊行されました。日本の児童図書出版の歴史を飾《かざ》るものといまも見られています。

『心に太陽を持て』はこの文庫の第一回配本で、内容もいわば全文庫の象徴《しょうちょう》のようなものであります。一つ一つの話は、有三の意をくんで数人が書いて持ちよったものを有三が選んで、自分で納得《なっとく》いくまで文章に目を通し、加筆しました。それゆえ、これは全く山本有三編著であって、この本は終始有三の名で刊行され、多くの人に愛読されて来ました。

戦後、有三は「青少年文化の会」を作って、青少年文化の育成に寄与《きよ》しようとし、その会の関係者たちに、十編余の話を書いてもらい、戦前の版に加えました。社会の事情に変化があったので、新しい話を加える必要があると感じたからでありましょう。それで、昭和三十一年以後この本の著作権は「青少年文化の会」に帰属しましたが、その会はやがて「公益信託《しんたく》山本有三記念路傍の石文学賞及《およ》び郷土文化賞基金」に吸収されました。そしてこの本の印税は、遺族の了解《りょうかい》のもとにこの公益信託に最終的に繰《く》り入れられることになりました。有三の精神にかなう青少年向き文学作品と郷土文化事業とを毎年表彰《ひょうしょう》するために役立てられることになったわけです。何よりも人間を重んじ、青少年のことを熱心に考えていた有三の心を生かし続け、人間を産む郷土を大切にする機運を促進《そくしん》し、青少年の文学の創造によい刺激《しげき》を与えることができれば、幸いです。

私は有三と同じ東大独文の後輩《こうはい》で、ちょうど五十年にわたって有三に師事しました。この本の成立についてもいささかかかわりを持ちましたので、その事情を記しておきました。

（ドイツ文学者、昭和五十六年四月記、六十一年十一月加筆）

表記について

新潮文庫の文字表記については、原文を尊重するという見地に立ち、次のように方針を定めました。

一、旧仮名づかいで書かれた口語文の作品は、新仮名づかいに改める。
二、文語文の作品は旧仮名づかいのままとする。
三、旧字体で書かれているものは、原則として新字体に改める。
四、難読と思われる語には振仮名をつける。

なお括弧内の読み仮名は底本（昭和五十一年六月新潮社刊『山本有三全集第九巻』）に基づき、新たに加えた読み仮名は漢字の右脇に付した。

本作品中、今日の観点からみると差別的ととられかねない表現が散見しますが、作品自体のもつ文学性ならびに芸術性、また著者がすでに故人であるという事情に鑑み、原文どおりとしました。

（新潮文庫編集部）

山本有三著　真実一路

父と姉に育てられた義夫少年を主人公に、人生を〝真実一路〟に生きようとしながら傷ついていく人々の真摯な姿を写し出す不朽の名作。

山本有三著　新版路傍の石

極貧の家に生れ幼くして奉公に出された愛川吾一が、純真な心を失うことなく、自らの運命を切りひらいていくひたむきな姿を描く。

山本周五郎著　青べか物語

うらぶれた漁師町浦粕に住みついた〝私〟の眼を通して、独特の狡猾さ、愉快さ、質朴さをもつ住人たちの生活ぶりを巧みな筆で捉える。

室生犀星著　杏っ子

読売文学賞受賞

野性を秘めた杏っ子の成長と流転を描いて、父と娘の絆、女の愛と執念を追究し、また自らの生涯をも回顧した長編小説。晩年の名作。

井上靖著　あすなろ物語

あすは檜になろうと念願しながら、永遠に檜にはなれない〝あすなろ〟の木に託して、幼年期から壮年までの感受性の劇を謳った長編。

井上靖著　しろばんば

野草の匂いと陽光のみなぎる、伊豆湯ヶ島の自然のなかで幼い魂はいかに成長していったか。著者自身の少年時代を描いた自伝小説。

武者小路実篤著

友情

あつい友情で結ばれていた脚本家野島と新進作家大宮は、同時に一人の女を愛してしまった――青春期の友情と恋愛の相剋を描く名作。

武者小路実篤著

愛と死

小説家村岡が洋行を終えて無事に帰国の途についたとき、許嫁夏子の急死の報が届いた。至純で崇高な愛の感情を謳う不朽の恋愛小説。

武者小路実篤著

真理先生

社会では成功しそうにもないが人生を肯定して無心に生きる、真理先生、馬鹿一、白雲、泰山などの自由精神に貫かれた生き方を描く。

幸田文著

父・こんなこと

父・幸田露伴の死の模様を描いた「父」。父と娘の日常を生き生きと伝える「こんなこと」。偉大な父を偲ぶ著者の思いが伝わる記録文学。

幸田文著

おとうと

気丈なげんと繊細で華奢な碧郎。姉と弟の間に交される愛情を通して生きることの寂しさを美しい日本語で完璧に描きつくした傑作。

幸田文著

きもの

大正期の東京・下町。あくまできものの着心地にこだわる微妙な女ごころを、自らの軌跡と重ね合わせて描いた著者最後の長編小説。

芥川龍之介著

羅生門・鼻

王朝の説話物語にあらわれる人間の心理に、近代的解釈を試みることによって己れのテーマを生かそうとした〝王朝もの〟第一集。

芥川龍之介著

地獄変・偸盗《ちゅうとう》

地獄変の屛風を描くため一人娘を火にかけて芸術の犠牲にし、自らは縊死する異常な天才絵師の物語「地獄変」など〝王朝もの〟第二集。

芥川龍之介著

蜘蛛《くも》の糸・杜子春

地獄におちた男がやっとつかんだ一条の救いの糸をエゴイズムのために失ってしまう「蜘蛛の糸」、平凡な幸福を讃えた「杜子春」等10編。

芥川龍之介著

戯作三昧・一塊《いっかい》の土

江戸末期に、市井にあって芸術至上主義を貫いた滝沢馬琴に、自己の思想や問題を託した「戯作三昧」、他に「枯野抄」等全13編を収録。

芥川龍之介著

河童・或阿呆《あるあほう》の一生

珍妙な河童社会を通して自身の問題を切実にさらした「河童」、自らの芸術と生涯を凝縮した「或阿呆の一生」等、最晩年の傑作6編。

芥川龍之介著

侏儒《しゅじゅ》の言葉《ことば》・西方《さいほう》の人

著者の厭世的な精神と懐疑の表情を鮮やかに伝える「侏儒の言葉」、芥川文学の生涯の総決算ともいえる「西方の人」「続西方の人」の3編。

有島武郎著　小さき者へ・生れ出づる悩み

病死した最愛の妻が残した小さき子らに、歴史の未来をたくそうとする慈愛に満ちた「小さき者へ」に「生れ出づる悩み」を併録する。

宇野千代著　おはん　野間文芸賞受賞　女流文学者賞受賞

妻と愛人、二人の女にひかれる男の情痴のあさましさを、美しい上方言葉の告白体で描き、幽艶な幻想世界を築いて絶賛を集めた代表作。

向田邦子著　思い出トランプ

日常生活の中で、誰もがもっている狡さや弱さ、うしろめたさを人間を愛しむ眼で巧みに捉えた、直木賞受賞作など連作13編を収録。

石川達三著　青春の蹉《さ》跌《てつ》

生きることは闘いだ、他人はみな敵だ——貧しさゆえに充たされぬ野望をもって社会に挑戦し、挫折していく青年の悲劇を描く長編。

井伏鱒二著　山《さん》椒《しょう》魚《うお》

大きくなりすぎて岩屋の棲家から永久に外へ出られなくなった山椒魚の狼狽をユーモア漂う筆で描く処女作「山椒魚」など初期作品12編。

井伏鱒二著　黒い雨　野間文芸賞受賞

一瞬の閃光に街は焼けくずれ、放射能の雨の中を人々はさまよい歩く……罪なき広島市民が負った原爆の悲劇の実相を精緻に描く名作。

伊藤左千夫著

野菊の墓

江戸川の矢切の渡し付近の静かな田園を舞台に、世間体を気にするおとなに引きさかれた政夫と二つ年上の従姉民子の幼い純愛物語。

川端康成著

雪国

ノーベル文学賞受賞

雪に埋もれた温泉町で、芸者駒子と出会った島村——ひとりの男の透徹した意識に映し出される女の美しさを、抒情豊かに描く名作。

川端康成著

伊豆の踊子

伊豆の旅に出た旧制高校生の私は、途中で会った旅芸人一座の清純な踊子に孤独な心を温かく解きほぐされる——表題作等4編。

島崎藤村著

春

明治という新時代によって解放された若い魂が、様々な問題に直面しながら、新たな生き方を希求する姿を浮彫りにする最初の自伝小説。

島崎藤村著

桜の実の熟する時

甘ずっぱい桜の実に懐しい少年時代の幸福を象徴させて、明治の東京に学ぶ岸本捨吉を捉える青春の憂鬱を描き『春』の序曲をなす長編。

下村湖人著

次郎物語（上・中・下）

生後すぐ里子に出されたことが次郎を変えた。孤独に苦しみ、愛に飢えた青年が自力で切り拓いていく人生を、自伝風に描く大河小説。

太宰治著

走れメロス

人間の信頼と友情の美しさを、簡潔な文体で表現した「走れメロス」など、中期の安定した生活の中で、多彩な芸術的開花を示した9編。

太宰治著

お伽《とぎ》草紙

昔話のユーモラスな口調の中に、人間宿命の深淵をとらえた表題作ほか「新釈諸国噺」「清貧譚」等5編。古典や民話に取材した作品集。

竹山道雄著

ビルマの竪琴

毎日出版文化賞・芸術選奨受賞

ビルマの戦線で捕虜になっていた日本兵たちが帰国する日、僧衣に身を包んだ水島上等兵の鳴らす竪琴が……大きな感動を呼んだ名作。

壺井栄著

二十四の瞳

美しい瀬戸の小島の分教場に赴任したおなご先生と十二人の教え子たちの胸に迫る師弟愛を、郷土色豊かなユーモアの中に描いた名作。

夏目漱石著

坊っちゃん

四国の中学に数学教師として赴任した直情径行の青年が巻きおこす珍騒動。ユーモアと人情の機微にあふれ、広範な愛読者をもつ傑作。

三浦綾子著

泥流地帯

大正十五年五月、十勝岳大噴火。家も学校も恋も夢も、泥流が一気に押し流す。懸命に生きる兄弟を通して人生の試練とは何かを問う。

梨木香歩著　裏庭
児童文学ファンタジー大賞受賞

荒れはてた洋館の、秘密の裏庭で声を聞いた——教えよう、君に。そして少女の孤独な魂は、冒険へと旅立った。自分に出会うために。

梨木香歩著　西の魔女が死んだ

学校に足が向かなくなった少女が、大好きな祖母から受けた魔女の手ほどき。何事も自分で決めるのが、魔女修行の肝心かなめで……。

梨木香歩著　からくりからくさ

祖母が暮らした古い家。糸を染め、機を織る、静かで、けれどもたしかな実感に満ちた日々。生命を支える新しい絆を心に深く伝える物語。

湯本香樹実著　夏の庭
—The Friends—

死への興味から、生ける屍のような老人を「観察」し始めた少年たち。いつしか双方の間に、深く不思議な交流が生まれるのだが……。

湯本香樹実著　ポプラの秋

不気味な大家のおばあさんは、ある日私に奇妙な話を持ちかけた——。『夏の庭』で世界中の注目を浴びた著者が贈る文庫書下ろし。

江國香織著　こうばしい日々
坪田譲治文学賞受賞

恋に遊びに、ぼくはけっこう忙しい。11歳の男の子の日常を綴った表題作など、ピュアで素敵なボーイズ&ガールズを描く中編二編。

新潮文庫最新刊

佐伯泰英著
敦盛おくり
新・古着屋総兵衛　第十六巻
交易船団はオランダとの直接交易に入った。江戸では八州廻りを騙る強請事件が横行していた。古着大市二日目の夜、刃が交差する。

相場英雄著
不発弾
名門企業に巨額の粉飾決算が発覚。警視庁の小堀は事件の裏に、ある男の存在を掴む――日本を壊した〝犯人〟を追う経済サスペンス。

玉岡かおる著
天平の女帝　孝謙称徳
―皇王の遺し文―
秘められた愛、突然の死、そして遺詔の行方。その謎を追い、二度も天皇の座に就いた偉大な女帝の真の姿を描く、感動の本格歴史小説。

川上弘美著
猫を拾いに
恋人の弟との秘密の時間、こころを色で知る男、誕生会に集うけものと地球外生物……。恋する瞳がひきよせる不思議な世界21話。

池澤夏樹著
砂浜に坐り込んだ船
坐礁した貨物船はお前の姿ではないのか……。悲しみを乗り越えようとする人々を、時に温かく時にマジカルに包みこむ9つの物語。

月原　渉著
オスプレイ殺人事件
飛行中のオスプレイで、全員着座中に自衛隊員が刺殺された！　凶器行方不明の絶対空中密室。驚愕の連続、予測不能の傑作ミステリ。

新潮文庫最新刊

乾緑郎著
機巧のイヴ
―新世界覚醒篇―
万博開催に沸く都市ゴダムで〝彼女〟が目覚めた――。爆発する想像力で未曾有の世界を描き切った傑作SF伝奇小説、第二弾。

仁木英之著
恋せよ魂魄
―僕僕先生―
劉欣を追う僕僕たち。だが、旅の途中で出会った少女は、王弁の傍にいないと病状が悪化する謎の病で――? 出会いと別れの第九巻。

成田名璃子著
咲見庵三姉妹の失恋
和カフェ・咲見庵を営む高咲三姉妹。それぞれに恋の甘さと苦しみを味わい、自分を取り戻す――。傷心を包み込む優しく切ない物語。

神田茜著
一生に一度のこの恋にタネも仕掛けもございません。
それは冴えないOLの一目惚れから始まった。前途多難だけれど、一生に一度の本気の恋。マジックの世界で起きる最高の両片想い小説。

藤石波矢著
時は止まったふりをして
十二年前の文化祭で消えたフイルムが、温かな奇跡を起こす。大人になりきれなかった私たちの、時をかける感涙の青春恋愛ミステリ。

早坂吝著
探偵AIのリアル・ディープラーニング
天才研究者が密室で怪死した。「探偵」と「犯人」、対をなすAI少女を遺して。現代のホームズVS.モリアーティ、本格推理バトル勃発!!

心《こころ》に太陽《たいよう》を持《も》て

新潮文庫　や-1-9

昭和五十六年六月二十五日　発行
平成十五年三月二十五日　二十六刷改版
平成三十年六月五日　三十八刷

編著者　山《やま》本《もと》有《ゆう》三《ぞう》

発行者　佐藤隆信
発行所　株式会社 新潮社
郵便番号 一六二—八七一一
東京都新宿区矢来町七一
電話 編集部(〇三)三二六六—五四四〇
読者係(〇三)三二六六—五一一一
http://www.shinchosha.co.jp
価格はカバーに表示してあります。
乱丁・落丁本は、ご面倒ですが小社読者係宛ご送付ください。送料小社負担にてお取替えいたします。

印刷・錦明印刷株式会社　製本・憲専堂製本株式会社

ISBN978-4-10-106010-1 C0112